D1235971

Un cœur intelligent

Alain Finkielkraut

Un cœur intelligent

Lectures

Stock/Flammarion

Transcription réalisée par Bérénice Levet

ISBN 978-2-234-06259-7

À Béatrice Berlowitz et à Michel Topaloff,
dont la présence m'a sauvé.

Avant-propos

Le roi Salomon suppliait l'Éternel de lui accorder un cœur intelligent.

Au sortir d'un siècle ravagé par les méfaits conjoints des *bureaucrates*, c'est-à-dire d'une intelligence purement fonctionnelle, et des *possédés*, c'est-à-dire d'une sentimentalité sommaire, binaire, abstraite, souverainement indifférente à la singularité et à la précarité des destins individuels, cette prière pour être doué de perspicacité affective a, comme l'affirmait déjà Hannah Arendt, gardé toute sa valeur.

Dieu cependant se tait. Il nous regarde peut-être, mais Il ne nous répond pas, Il ne sort pas de son quant-à-soi, Il n'intervient pas dans nos affaires. Quoi que nous en ayons, quoi que nous imaginions pour meubler Son emploi du temps et pour nous convaincre de Son activisme, Il nous abandonne à nous-mêmes. Ce n'est ni directement à Lui, ni à l'Histoire, cet avatar moderne de la théodicée, que nous pouvons adresser notre requête avec quelque chance de succès, c'est à la littérature. Cette médiation n'est pas une garantie : sans elle toutefois, la grâce d'un cœur intelligent nous serait à jamais inaccessible. Et nous connaîtrions peut-être les lois de la vie, mais non sa jurisprudence.

Tel est, du moins, le pari des neuf études qui suivent. Je me suis fié à mon émotion pour choisir *La Plaisanterie* de Milan Kundera, *Tout passe* de Vassili Grossman, *Histoire d'un Allemand* de Sebastian Haffner, *Le Premier Homme* d'Albert Camus, *La Tache* de Philip Roth, *Lord Jim* de Joseph Conrad, les *Carnets du sous-sol* de Fedor Dostoïevski, *Washington Square* de Henry James, *Le Festin de Babette* de Karen Blixen. Et je me suis efforcé de mettre dans mes lectures tout le sérieux, toute l'attention que requiert le déchiffrement des énigmes du monde.

P.-S. : Ce livre dont je caressais l'idée depuis des années serait resté dans les limbes si Nicolas Guerpillon ne m'avait fait, un jour, l'irrésistible proposition de constituer ma bibliothèque idéale et si Shlomo Malka n'avait accueilli nos entretiens sur RCJ, la radio qu'il dirige. Ma dette est grande également envers Bérénice Levet qui a tapé le manuscrit avec une infinie patience et qui m'a donné de précieux conseils. À tous les trois, merci.

Le sage ne rit qu'en tremblant

Lecture de *La Plaisanterie*,
de Milan Kundera

L'œuvre d'art, disait en substance Alain, ne relève pas de la catégorie de l'utile. Si l'on veut juger de sa valeur, on doit donc se demander non à quoi elle peut nous servir, mais de quel automatisme de pensée elle nous délivre. Le roman de Kundera, *La Plaisanterie*, a ruiné en moi l'idée triomphale que la vie – individuelle mais aussi collective – est un roman et que la philosophie consiste à élargir aux dimensions de l'histoire universelle l'intrigue du *Comte de Monte-Cristo*.

Prague, 1948. Les communistes viennent de prendre le pouvoir. La révolution bat son plein. Fervente et grave, la joie règne partout et notamment dans les universités. Ludvik Jahn qui occupe un poste important à l'Union des

Étudiants fait une cour assidue à la belle et militante Marketa. Celle-ci, jetée à corps perdu dans l'Histoire en marche, est cependant si candide, si naïvement réfractaire aux pratiques ressortissant à la maxime « la fin justifie les moyens », que ses camarades décident, les vacances venues, de l'envoyer pour quinze jours dans un château du centre de la Bohême participer à un stage de formation du Parti et parfaire ainsi sa connaissance de la stratégie et de la tactique du mouvement révolutionnaire.

Cette décision perturbe les plans de Ludvik et le contrarie d'autant plus que Marketa y adhère avec une docilité et même une ardeur inaltérablement souriantes. Au lieu de se languir de lui, elle lui envoie, une fois sur place, une lettre « débordant d'un consentement sincère à ce qu'elle vivait ». Dépité, frustré, jaloux, Ludvik achète une carte postale et il écrit au dos : « L'optimisme est l'opium du genre humain ! L'esprit sain pue la connerie. Vive Trotski ! Ludvik. »

Ce bon mot n'a rien d'une profession de foi dissidente. Ludvik ne décline pas son identité idéologique, il émet une protestation taquine contre la mainmise de l'idéologie sur l'intégralité de l'existence. Il n'est, en l'occurrence, ni orthodoxe ni hérétique, il ne délivre aucun message, il ne publie pas, sous le coup de la colère, ses convictions secrètes ; il joue – en privé – à être autre qu'il n'est, il se détache de lui-même, il revêt, pour choquer et pour séduire, un costume d'emprunt. Mu par l'espoir de *faire changer de sourire* la trop placide et trop béate Marketa, il s'amuse, l'espace d'une insolence, à ne pas croire en ce qu'il croit. Non qu'il mente : Ludvik s'exprime sur un registre – la blague – où l'alternative de la vérité et du mensonge est temporairement suspendue. Mais une telle désinvolture n'est ni admise ni même audible au pays des camarades. On ne badine pas avec l'émancipation humaine, on ne fait pas trembler, même en plaisantant, le sens de l'Histoire ; on obéit à ses injonctions, on frémit devant ses verdicts. Il n'y a pas de place pour l'équivoque ou le *cum grano salis* dans la vision révolutionnaire du monde. Quand deux camps s'affrontent, tout est solennel, tout est littéral, on ne sort jamais de l'idéologie : ouvrir la bouche, c'est forcément prendre position. Oui ou non – telle est l'unique question et telles sont les deux seules réponses possibles. Il n'y a pas de place non plus pour l'égoïsme amoureux. La révolution est trop préoccupée du bonheur universel pour laisser chacun vaquer à ses affaires ou à ses aventures. Elle a le droit de connaître l'emploi du temps de ses combattants et le devoir de les sanctionner s'ils désertent le

15

champ de bataille. La morale de l'homme nouveau et la psychologie de Marivaux ne sont pas compatibles.

La carte postale de Ludvik est une légèreté lourde de conséquences fatales. Les vacances se passent, Marketa ne donne plus signe de vie et, quand vient la rentrée de septembre, Ludvik qui n'a d'autre souci que ce silence est appelé au secrétariat du Parti. Là, trois étudiants imbus de leur importance donnent lecture de sa missive et lui demandent de la commenter. Il a beau répéter qu'il n'a rien lu de Trotski, qu'il ne connaît pas le moindre trotskiste et que c'était *seulement pour faire une farce*, la mécanique est enclenchée, l'affaire suit son train inexorable. Après ce premier interrogatoire, Ludvik comparaît devant la faculté en réunion plénière et personne ne vient à son secours : les professeurs et ses condisciples présents votent non seulement son exclusion de la faculté mais l'interdiction de poursuivre ses études. Il perd ainsi le bénéfice du sursis militaire et finit par échouer dans la caserne d'un faubourg lugubre de la ville minière d'Ostrava. Omniprésent et tout-puissant, indiscret et impitoyable, le Parti l'a jeté, sans ménagement, hors du chemin de sa vie.

Lorsque le roman de Kundera a été publié à Paris, en 1968, nous lui avons réservé, nous autres contestataires, un accueil enthousiaste. Et comme nous étions confrontés, dans le moment même où nous le lisions, aux images bouleversantes de l'écrasement du Printemps de Prague, nous avons tout naturellement rangé *La Plaisanterie* sous la bannière de la grande révolte mondiale contre la Répression. Défiant, au nom du droit au désir, les conventions sociales, les institutions politiques et le principe de rendement, nous nous sommes identifiés aux malheurs de Ludvik et nous l'avons célébré comme l'un des nôtres. Tout à notre reconnaissance, nous avons occulté le fait, pourtant flagrant, qu'il était une victime non de l'État ou du système mais de l'ardeur insurrectionnelle. La violence qui s'est abattue sur lui était socialiste et *ce socialisme venait du chaud*. Le dragueur espiègle n'a pas été excommunié par un monstre froid, il a été frappé d'anathème par une foule en fusion. La flamme révolutionnaire brillait dans les yeux de ses juges et inspirait leurs discours. Le tribunal devant lequel comparaissait Ludvik n'était pas une émanation de Big Brother, il n'était pas composé de bureaucrates mécaniques, d'apparatchiks impassibles, de gros-pardessus, de représentants momifiés du vieux monde, mais d'étudiants aussi exaltés, aussi fraternels, aussi intensément vivants et aussi radieusement en colère que nous pouvions l'être. Comme nous, ces rebelles sans rides affirmaient que tout est possible et ils déclaraient caduque l'opposition du public et du privé. Certes, nous préférions étendre la révolution au domaine sexuel plutôt que de subordonner la sexualité à la révolution, mais, pour nous aussi, apôtres de la jouissance immédiate, il s'agissait d'en finir avec les louvoiements du style indirect et les archaïques complications du marivaudage.

Dix ans après la publication de *La Plaisanterie* en France, Kundera a voulu enfoncer le clou dans la préface qu'il a écrite pour le roman de son vieil ami Josef Skvorecky, *Miracle en Bohême* : « Mai 68, c'était une révolte des jeunes. L'initiative du Printemps de Prague était entre les mains d'adultes, fondant leur action sur leur expérience et leur déception historiques. [...] Le Mai parisien fut une explosion du lyrisme révolutionnaire. Le Printemps de Prague, c'était l'explosion d'un scepticisme postrévolutionnaire. [...] Le Mai parisien était radical. Ce qui, pendant de longues années, avait préparé l'explosion du Printemps de Prague, c'était une révolte populaire des modérés. »

Révolte et modération : voilà, pour les soixante-huitards comme pour ceux qui, tous les dix ans, fêtent et fêteront jusqu'à la fin des temps l'anniversaire de cette grande effervescence inaugurale, deux mots qui vont très mal ensemble. Deux mots ennemis. Deux mots qui se livrent même une guerre inexpiable. La révolte, c'est la transgression, l'excès, l'aventure, le risque, la rupture avec les habitudes, le dérèglement de tous les sens, le dynamitage des vieilles structures, le soulèvement de la vie contre ce gouvernement des morts qu'on appelle la tradition, l'élan prométhéen de l'homme moderne délivré du joug céleste, réfractaire à ce qui est comme à la nostalgie des neiges d'antan et qui n'ouvre la bouche que pour dire avec André Breton : « Il y aura une fois. » La modération évoque, à l'inverse, le pot-au-feu, les pantoufles devant la cheminée, le conformisme frileux, l'embourgeoisement, l'empâtement, l'aplatissement de la vie, le choix sans gloire du juste milieu, le piteux retour de l'enfant prodigue, devenu adulte, dans les sentiers battus de la sagesse routinière et casanière.

Mais il existe une autre manière de prendre acte de la situation créée par le fait, pour Dieu, de quitter la place d'où il avait dirigé le monde, et qui consiste à dire avec Montaigne : « C'est mettre ses conjectures à bien haut prix que d'en brûler un homme tout vif. » La révolte des modérés dont parle Kundera s'inscrit dans cette tradition née du traumatisme des guerres civiles religieuses. Alors que la révolte prométhéenne s'enchante de franchir les frontières et proclame que l'imagination n'a pas à s'humilier devant la prose des jours, la révolte des modérés se réclame de la finitude. Alors que la révolte prométhéenne combat ce qu'elle considère comme le sérieux pusillanime de la circonspection et de la mesure, la révolte des modérés fait sa part à l'imperfection, à l'inachèvement, à l'incertitude, à la faillibilité, bref au non-sérieux irrémédiable de toutes les convictions, de toutes les conjectures humaines. La première, emphatique, veut hâter l'avènement du règne humain, c'est-à-dire le transfert à l'Homme des attributs divins de l'omniscience et de l'omnipotence. La seconde, ironique, veut crever la baudruche en dénonçant les ravages provoqués par la prétention humaine à occuper la place que Dieu a laissée vacante. En 1965, à Prague, quand paraît *La Plaisanterie*, la révolte des modérés est en cours. En 1968, Prométhée élève des barricades à Paris et, près d'un demi-siècle après, on continue à s'émerveiller de l'extrême modernité de ses maximes : « L'émancipation de l'homme sera totale ou ne sera pas » ; « Nous ne sommes pas contre les vieux, mais contre ce qui les fait vieillir » ; « Soyez réalistes, demandez l'impossible » ; ou celle-ci, d'un laconisme fulgurant : « Surtout pas de remords ! »

Revenons à Ludvik, vingt ans avant que n'éclatent ces deux révoltes contradictoires. Il n'en a pas fini avec la frénésie juvénile. Le commandant du bataillon disciplinaire où il a échoué est un très jeune homme – « un môme », dit le roman – qui dissimule en lui tout ce qu'il y a de tâtonnant et d'inachevé sous le masque du révolutionnaire inflexible. Comme il est à peine adulte, il en rajoute, il en fait des tonnes, il cherche éperdument à se donner consistance et c'est parce qu'il *joue* le rôle de l'homme accompli qu'il *agit* avec une inhumanité particulière. « Acte ou geste ? Telle est la question », disait Sartre pour souligner la part prise par l'obsession du regard d'autrui dans l'existence de chacun. Et le philosophe tablait sur la participation à la violence de l'Histoire pour sortir du cercle de la comédie. S'engager, pensait-il, c'était ne plus tricher. À cette promesse d'*authenticité*, Kundera oppose un constat ironique et navré : les actes les plus terribles sont aussi des postures théâtrales ; une pantomime est à l'œuvre dans les grands paroxysmes ; il n'y a jamais d'histoire que sur la *scène* de l'Histoire. La férocité, en un mot, n'abolit pas la mascarade : pendant que le sang coule, la représentation continue et Saint-Just fait son *show*.

21

Mais face à ce jeune commandant cabotin et cruel, les compagnons d'infortune de Ludvik, ceux qui, comme lui, portent l'écusson noir des prisonniers politiques, finissent par faire bloc. Ils découvrent, dans le malheur, l'euphorie de la solidarité, l'exaltation ou la consolation de l'être-ensemble. Ainsi, lorsque les sous-officiers décident d'organiser pour ces soldats une course de relais et d'y participer avec eux, ils acceptent sans hésiter la suggestion faite par Ludvik de saboter l'exercice en courant au ralenti. Ils rivalisent même d'inventions : celui-ci court en boitant, celui-là tombe à huit reprises, cet autre lève comiquement les genoux à hauteur du menton, tout le monde s'applique à ne pas s'appliquer, tout le monde sauf Alexej, un autre môme. Fils d'une personnalité communiste incarcérée, il continue, avec une obstination farouche, à mettre tous ses espoirs dans le Parti et à endosser stoïquement le châtiment que celui-ci lui inflige : « Mon père a été arrêté pour espionnage. Tu mesures ce que ça signifie ? Comment le Parti peut-il me faire confiance ? Le Parti a le devoir de n'avoir pas confiance en moi. » Il se donne donc à fond. Mais il est chétif et malingre. Très vite atteint d'un point de côté, il termine plus difficilement la course que ceux qui simulaient l'épuisement et la lenteur. C'est lui qui écope de quinze jours de prison pour tentative de mutinerie. Considéré comme un traître par les autres écussons noirs, d'autant plus persécuté par le commandant que celui-ci a intercepté une lettre où il dénonçait aux instances du Parti ses méthodes cruelles, Alexej finit par se suicider en avalant deux tubes de barbituriques. Ludvik se rend compte alors que cet adolescent souffreteux et fanatique au prénom russe était le mouton noir des écussons noirs. Il se reproche de ne l'avoir pas aidé. Et l'euphorie de la solidarité laisse place à un irrépressible malaise. Ce groupe de copains n'a pas été seulement cimenté par un destin commun et une commune résistance, il lui a fallu, outre l'ennemi, un bouc émissaire ; les écussons noirs se sont montrés capables de traquer un homme comme la collectivité qui avait chassé Ludvik de l'université et peut-être, pense-t-il, comme toute collectivité humaine. Autrement dit, il n'y a pas d'union sans union sacrée et pas d'union sacrée sans victime expiatoire. Privée de l'aliment de la haine, la fraternité dépérirait : pour exister, elle a besoin de chair fraîche.

Ludvik est donc renvoyé par la mort d'Alexej à sa solitude et à son amertume. Il avait cru en sortir lorsque, pendant une de ses permissions, il avait rencontré Lucie, une ouvrière d'Ostrava. Cette jeune femme innocente et timide avait

23

rappelé à Ludvik l'existence d'un autre territoire que celui de l'Histoire : « la prairie oubliée du quotidien ». Elle était son « ouvreuse grise » et invitait à franchir un pas supplémentaire, le plus décisif sur le chemin de la modestie : non pas simplement la sagesse de l'incertitude mais l'abandon pur et simple de la scène ; non pas la protestation contre les mensonges et les méfaits de l'idylle pour tous mais le bonheur ordinaire de l'idylle sans histoire. L'ouvreuse grise cependant se refuse inexplicablement à lui. Elle le repousse avec un entêtement qui met Ludvik hors de lui. Il la frappe, ou, plus exactement, il frappe en elle l'instrument de la force qui, depuis la malheureuse plaisanterie de la carte postale, ne cesse de lui barrer la route et de tout lui prendre. Lucie se sauve, elle disparaît. Ludvik en est réduit à ruminer sans trêve son sort injuste et sa vie gâchée. Il n'a pas le pouvoir d'effacer le passé. Ce qui est fait est fait. On ne sort pas de cette tautologie accablante.

Mais on n'est pas toujours forcé de tourner en rond. Quinze ans après l'événement qui a dévasté sa vie, le hasard offre à Ludvik l'occasion inespérée de régler ses comptes. Dans l'institut scientifique où il travaille, il reçoit la visite d'une journaliste de la radio qui se trouve être l'épouse de l'auteur du rapport incendiaire qui avait

24

demandé et obtenu son exclusion du Parti. La porte de sa prison mentale s'entrouvre : le voici soudain en mesure de sortir du cercle du ressentiment. La possibilité lui est miraculeusement offerte de reprendre le contrôle de l'histoire déclenchée par une plaisanterie inoffensive et, nouvel Edmond Dantès, de s'adjuger au moyen d'une mystification vengeresse le mot de la fin. Il décide donc de séduire la journaliste et tout se déroule comme prévu. Mieux même : elle tombe éperdument amoureuse de lui. Le stratagème fonctionne donc à merveille. Le plan fomenté avec la colère froide d'une insondable rancune se réalise. Et c'est son succès même qui signe sa débâcle. Comme dans la tragédie, tout ce qu'il a fait pour sortir du pire a empiré les choses. Pourquoi ? À cause de *la non concordance des temps*. Ludvik est resté cloué à l'événement de sa condamnation et à ses conséquences. Pour les autres, en revanche, le temps a passé. Ils n'ont pas ressassé, ils ont évolué, ils ont été emportés par le flot des modes et des préoccupations nouvelles. L'offenseur Zemanek a laissé son fantôme aux mains de Ludvik l'offensé tandis que son être plongeait avec délectation dans les eaux du devenir. Professeur très populaire auprès de la jeunesse antistalinienne, il cherche le moyen de divorcer et de pouvoir ainsi s'afficher en tout bien tout honneur avec sa maîtresse, une étudiante superbe. Ludvik tombe donc à point nommé ! Le châtiment qu'il croit infliger ravit son destinataire. La vengeance de l'homme cloué est une aubaine pour l'homme pressé : « Zemanek était toujours jovial et satisfait, invulnérable, nanti de la faveur des anges et d'une jeune fille dont la beauté m'avait rappelé sur-le-champ l'imperfection de ce corps avec lequel j'avais passé une après-midi. »

Cocteau raconte quelque part l'histoire de ce jeune jardinier persan qui dit un jour à son prince : « J'ai rencontré la mort ce matin. Elle m'a fait un geste de menace. Sauve-moi. Je voudrais être, par miracle, à Ispahan ce soir. Le bon prince prête ses chevaux. L'après-midi, ce prince rencontre la mort. Pourquoi, lui demande-t-il, avez-vous fait, ce matin, à notre jardinier un geste de menace ? Je n'ai pas fait un geste de menace, répond-elle, mais un geste de surprise. Car je le voyais loin d'Ispahan ce matin et je l'attendais à Ispahan ce soir. » Ludvik, de même, a précipité la catastrophe en voulant lui échapper. Il a cru faire appel de la condamnation dont il a été l'objet et il a aggravé sa peine. Il a couru à perdre haleine pour rattraper le temps perdu et, une fois arrivé au but, il a constaté qu'il avait servi, avec un zèle involontaire, les desseins de l'Ennemi. Le vengeur masqué est devenu un bienfaiteur malgré lui. Il croyait tenir le rôle du diable. Erreur ! Il a joué les anges gardiens. Il s'applaudissait d'avoir su profiter d'un cadeau du ciel pour obtenir réparation de l'injustice qu'il avait subie et voici que le ciel ou son absence lui jouait un tour pendable. De sujet souverain, il retombait au statut d'objet, de martyr. Et ce n'était plus d'un scandale mais d'une farce que ce blagueur invétéré se retrouvait, par son action même, victime. À la souffrance du préjudice s'ajoutait désormais celle du ridicule. C'en était trop. Confronté à l'insupportable gratitude du mari trompé, Ludvik rompt sans explication avec sa femme. Folle de stupeur et de douleur, la pauvre Helena absorbe alors des comprimés qu'elle croit être des somnifères. Mais ce sont des laxatifs qui ont été transférés dans une boîte plus distinguée par son jeune assistant fou amoureux d'elle. Ce môme – encore un ! – veut être un homme digne d'admiration et un homme digne d'admiration souffre d'insomnies, pas de dérèglement intestinal. Risible dénouement. La tragédie se voit retirer le droit au tragique. Elle bascule dans le vaudeville et finit prosaïquement sur le siège en bois d'un cabinet d'aisance ! Les entrailles en folie concluent le geste de l'amour fou.

De la plaisanterie de Ludvik aux facéties du destin et à ses quiproquos en cascade : telle est donc la trajectoire implacable de ce déchirant roman comique. Pour en comprendre la signification, il faut revenir à la jeunesse engagée de Ludvik. Celui-ci, on l'a dit, n'était pas un opposant ni un dissident. Malgré son mauvais esprit, il défendait la Cause avec conviction, il était un militant sincère du Parti. Comme Marketa, comme Pavel Zemanek, il vivait dans la liesse et même l'extase : « Nous étions envoûtés par l'Histoire ; nous étions ivres d'avoir monté le cheval de l'Histoire, ivres d'avoir senti son corps sous nos fesses. » Le môme qu'il était alors se grisait d'inaugurer « une époque où l'homme (chacun des hommes) ne serait plus en dehors de l'Histoire, ni *sous le talon* de l'Histoire, mais la conduirait et la façonnerait ».

Ce qui fait l'attrait de l'idée de révolution, ce n'est pas seulement la moralité qu'elle revendique, ni la solution du problème humain qu'elle prétend être, c'est le caractère séduisant, exaltant et gratifiant de l'intrigue qu'elle propose. Ludvik avait été captivé par la splendide épopée de la classe qui, selon l'inoubliable description de Marx, « possède un caractère universel en raison de ses souffrances universelles, et qui ne revendique aucun *droit particulier* parce qu'on

28

lui a fait subir non un *tort particulier*, mais le *tort absolu* [...] et qui ne peut donc se reconquérir elle-même sans la reconquête totale de l'homme ». L'enchantement s'est dissipé. La promesse du Royaume n'a pas été tenue. Le noble espoir de tout réparer a tourné au cauchemar et l'Histoire que Ludvik croyait chevaucher l'a brutalement jeté à terre. Cette chute l'a guéri de sa grande illusion cavalière. Qu'a-t-il fait cependant quand la possibilité a semblé s'offrir de reprendre la main et de retrouver la direction des événements ? Il a voulu redresser le tort absolu dont il avait été victime, et il est parti en reconquête. Il a réédité, à sa petite échelle, le schéma qui l'avait transporté avant de lui faire mordre la poussière. Il a, pour le dire autrement, enfourché le destrier de la vengeance. La fièvre équestre s'est emparée du piéton désabusé et il est, une deuxième fois, tombé de sa monture. Car la vie met un malin plaisir à flouer ceux qui s'enorgueillissent d'en façonner le sens. Elle déconcerte, elle trompe l'attente, elle fait faux bond. L'auteur en nous, et le héros, se retrouvent « Gros-Jean comme devant ». Cet auteur et ce héros croyaient *dur comme fer* « à la *pérennité de la mémoire* (des hommes, des choses, des actes, des nations) et à la *possibilité de réparer* (des actes, des erreurs, des péchés, des torts) ». Mais voici qu'ils découvrent

29

l'insoutenable légèreté de l'être. «Tout passe, tout cède et rien ne tient bon », disait Héraclite. Et Kundera, vingt-cinq siècles plus tard : « Tout sera oublié et rien ne sera réparé. Le rôle de la réparation (et par la vengeance et par le pardon) sera tenu par l'oubli. Personne ne réparera les torts commis, mais tous les torts seront oubliés. »

Cette débâcle n'aurait pas lieu si l'histoire humaine était histoire de l'accomplissement ou de la rédemption de l'homme. Mais, comme le répète inlassablement Hannah Arendt, l'Histoire n'est jamais l'ouvrage d'un seul, personne n'en est le conducteur ou l'artisan, nul ne la façonne car ce n'est pas l'homme au singulier qui vit sur la terre, ni l'homme et son ennemi, ce sont les hommes dans leur multiplicité débordante. Il y a là une distinction capitale dont Kundera explore toute la portée existentielle en confrontant, sur le plan privé aussi bien que sur le plan politique, la volonté romanesque de reconfigurer le monde et de domestiquer le temps à l'obstacle ontologique de la pluralité humaine.

Ludvik a incarné cet obstacle à son corps défendant. *Dressé comme un seul homme*, le peuple alors l'a exclu : ce fut sa première mésaventure. Puis il a cru pouvoir, dans le rayon d'action plus limité de son parcours personnel, gouverner la pluralité et se faire l'ordonnateur du destin. Ce fut son second déboire.

On considère souvent le roman comme le lieu d'une collision entre les songes ou les mensonges de l'imagination et la dureté du monde tel qu'il est : l'illusion se fracasse contre le principe de réalité, les chimères sentimentales et les grandes espérances sont anéanties par la vérité effective. *La Plaisanterie* nous contraint à approfondir cette définition. Sous le choc de la réalité et du rêve, un autre conflit se fait jour qui oppose la prise en compte par l'*imagination* de ce que Philip Roth appelle, dans *Opération Shylock*, « l'incontrôlabilité des choses réelles » et la tentative multiforme de soumettre l'ensemble des phénomènes à l'hégémonie du *fantasme*. Car l'imaginaire est double : l'imagination confère à l'homme le pouvoir de sortir de lui-même et d'habiter d'autres consciences ; le fantasme l'installe au centre du monde et lui assujettit les êtres, les choses, les événements ; l'imagination explore l'immaîtrisable, le fantasme en constitue la négation ; l'imagination prend acte de la pluralité, le fantasme la conjure ; l'imagination enseigne la modération, le fantasme nourrit la démesure ; l'imagination relève de l'attention, le fantasme est une production du désir. Imaginer, pour le moi, c'est se quitter ; fantasmer, c'est s'écouter, se dédommager, se repaître de scénarios compensatoires. Et Kundera romancier place cette seconde modalité de l'imaginaire sous le regard critique de la première. Il ne se contente pas, en effet, de raconter une histoire : il démonte patiemment l'histoire ou les histoires que son héros se raconte, il excentre Ludvik, il le remet à sa place, il rebute, par la diversification des points de vue, sa propension à la souveraineté narrative.

Quatre voix alternent et tissent la trame du récit. Celle de Ludvik, celle d'Helena, sa proie, mais aussi celle de Jaroslav, ami d'enfance de Ludvik, et celle de Kostka, le chrétien rencontré sur les bancs de l'université à l'époque de la grande effervescence. Lucie seule n'a pas voix au chapitre. Elle traverse ainsi le roman, présence douce, énigmatique et insaisissable. Par Jaroslav qui a consacré sa vie à la résurrection de la musique folklorique morave (« Nous arrachons les vieilles chansons à leur sommeil de mort »), nous apprenons que Ludvik, en 1948, l'année révolutionnaire, était un militant non seulement sincère mais arrogant. La présomption prométhéenne s'était comme imprimée sur son visage. En bon communiste, il arborait la mine renseignée du confident de la Providence, « comme s'il avait eu, avec l'avenir, quelque pacte secret lui donnant mandat d'agir en son nom ». Fort de ce mandat, il sut conférer à l'ancien l'onction du monde nouveau et, avec ses grands mots, il réussit à remettre la nostalgie des folkloristes pour un temps révolu dans le sens de l'Histoire. Ce temps qui était celui de la vie communautaire avait certes été périmé par l'esprit du capitalisme. Mais l'heure avait sonné de la négation de la négation : il fallait maintenant ressusciter les chants et les danses d'autrefois pour accompagner l'édification du communisme.

Par Kostka qui prête à Ludvik l'appartement dont celui-ci a besoin pour exercer sa vengeance, on découvre le secret de Lucie. Il l'a rencontrée dans une ferme collective où il avait décidé de travailler après être délibérément sorti, pour répondre à l'appel de Dieu, du chemin tout tracé de chercheur scientifique. Kostka a écouté Lucie, il l'a aimée et elle lui a raconté le viol collectif qu'elle avait subi pendant son adolescence.

Mais ces voix ne servent pas seulement à colmater les brèches qu'il y a dans le récit de Ludvik. En elles aussi, le fantasme postule à l'hégémonie et connaît la débâcle. Helena, bien sûr, ne comprend pas ce qui lui arrive : le contraste entre l'histoire dont elle se croit l'héroïne et le destin qu'elle subit est pathétiquement abyssal. Jaroslav a voulu jouer sa vie sur la partition immémoriale de la musique populaire. En Vlasta qui habitait un village voisin, il a vu s'incarner l'archétype de la Pauvre Servante. Il l'a épousée, mais cette image était un mirage et lorsque se déroule, le jour même de la vengeance de Ludvik, le rituel de la Chevauchée des Rois, il croit que son fils tient le rôle principal, alors qu'il a filé à Brno pour assister à une course de motos, avec la complicité de sa mère. Quant à Kostka, il est allé à Lucie avec la ferveur d'un amour où il entrait autant de charité que de désir. Et une fois accomplie son œuvre de sauveur, une fois qu'il l'eut débarrassée de l'horreur des choses de la chair, le devoir lui a dicté de rompre, et quand le directeur de la ferme où il travaillait fut accusé d'abriter un clérical, il a compris que Dieu lui faisait passer un message : « Éloigne-toi de Lucie avant qu'il ne soit trop tard. Ta mission est remplie. Ses fruits ne t'appartiennent pas. Ta route passe ailleurs. » Obéissant à la directive divine, il a donc quitté la ferme et il est devenu, nouvelle métamorphose, ouvrier du bâtiment. Lucie, peu après, s'est mariée. Lorsqu'il apprend que ce mariage est un douloureux fiasco, Kostka est saisi par le doute : l'interprétation des voies du Seigneur relève-t-elle de l'humilité de la foi ou de la volonté fantasmatique de se donner le beau rôle à moindres frais ? Avait-il entendu l'appel du Très-Haut ou avait-il, plus prosaïquement, écouté, lui qui avait à Prague femme et enfants, la voix de la lâcheté et la peur ? Après le grand récit philosophique, c'est donc la lecture théologique du monde qui se trouve impitoyablement remise en cause. *L'un et l'autre sont des romans.* Et *La Plaisanterie* se situe précisément à l'entrecroisement entre l'effort multiple des hommes pour donner une forme narrativement satisfaisante à leur existence et les vicissitudes existentielles qui résultent d'une telle aspiration.

Dans son essai *L'Art du roman*, Kundera cite ce proverbe yiddish : « L'homme pense, Dieu rit. » Et il commente : « Inspiré par cette sentence, j'aime imaginer que François Rabelais a entendu un jour le rire de Dieu et que c'est ainsi que l'idée du premier grand roman européen est née. Il me plaît de penser que l'art du roman est venu au monde comme l'écho du rire de Dieu. » Telle est l'erreur de Kostka : Dieu ne parle pas, Dieu ne délivre pas de courrier, il n'envoie pas de messages. Il n'arrose pas la prose de l'existence de ses injonctions et de ses appels – il rit en silence. Et Kundera écrit *La Plaisanterie* dans un pays livré à ceux que, après Rabelais et Laurence Sterne, il appelle les *agélastes*. L'agélaste est celui qui ne rit pas ou, plus précisément, celui qu'aucun rire n'entame. Rien, en effet, ne le sépare de Dieu ou de son avatar laïque, l'Histoire. Il n'y a pas, pour l'agélaste, de séparation qui tienne. Il habite la vérité et cette vérité n'unit pas seulement les hommes entre eux, elle unit en eux l'âme et le corps, l'intention et l'action, l'être et le paraître, le réel et le rationnel. Nulle distance n'est de mise. Nul détail trivial, intempestif, terre à terre ou frivole n'a de place dans ce paysage fusionnel. Au royaume des agélastes, l'indivision règne, Dieu coïncide avec le monde.

Mais il suffit d'ouvrir la radio ou de regarder l'écran pour s'en rendre compte : nous ne vivons plus sous le régime des visages fermés. Les bouches contemporaines sont grand ouvertes, car c'est la dérision qui prévaut maintenant, non la déférence. À l'époque des agélastes patibulaires a succédé le temps des amuseurs irrévérencieux. L'esprit de sérieux a été pulvérisé par la guignolade. Du matin au soir, le public que nous formons est invité à *se marrer*. Le rire est devenu la bande-son du monde. Alors même que j'étais plongé dans la relecture de *La Plaisanterie*, je suis tombé sur une émission de télévision qui, par la voix d'un animateur résolument moderne, c'est-à-dire décontracté, proposait à ses hôtes – des célé-brités du cinéma, de la chanson, des médias – de choisir, entre diverses morts récentes, celle qui les avait le moins touchés. On comptait parmi les cadavres de l'année un jeune chanteur de variétés mort des suites d'une maladie neurodégénérative, des acteurs, un ténor et un cardinal. Après avoir poussé des cris ou, plus exactement, des gloussements d'effroi à l'énoncé de la liste macabre (« oh, Thierry, cette fois-ci, tu vas trop loin ! »), tous les participants se sont docilement accommodés de ce questionnaire, tous ont joué le jeu, en bons petits soldats de l'impertinence, et ils ont voté à l'unanimité pour (ou plutôt contre) le cardinal. Quelques jours plus tard, l'animateur s'est justifié en revendiquant fièrement le droit au blasphème. Il serait donc Salman Rushdie ou Ludvik Jahn ? Et ceux qui ont fustigé ce moment de franche gaieté, des ayatollahs sinistres ou de redoutables censeurs comme Pavel Zemanek ? Le respect des morts exhalerait-il comme un parfum de dictature ? Regardons-y de plus près. Ludvik a été désarçonné et condamné pour avoir jeté sa blague au visage de la souriante fraternité. Le cardinal a été lynché à titre posthume par la fraternité du rire gras. Revenu de l'illusion révolutionnaire, mais férocement égalitaire, le rire contemporain proclame haut et fort l'*idéal de la désidéalisation*. Que l'homme passe infiniment l'homme, qu'il puisse avoir une vocation spirituelle, qu'il ne se réduise pas à ses fonctions organiques, voilà une possibilité que ce rire entend faire disparaître du monde. Il s'acharne contre la transcendance, il ne tolère aucune espèce d'éminence, il traque la grandeur sous quelque forme que celle-ci se manifeste, il venge la médiocrité de l'affront que la supériorité lui inflige, il fait de l'âme une vieillerie, une inconvenance, un objet de chahut et il travaille inlassablement à ce que chacun soit tout d'une pièce : surtout pas de distinction, surtout pas de dissonance, surtout pas de conflit intérieur, surtout pas de remords ! Les amuseurs, en d'autres termes, ne sont pas les ennemis des agélastes mais leurs successeurs. Les bouffons qui jadis tenaient officiellement la dragée haute aux rois sont aujourd'hui les rois adulés et redoutés de la démocratie radicale. Et ils propagent, sur les décombres de la promesse communiste, la chaleur revancharde de la bassesse commune. Que le cardinal se le tienne pour dit : nous sommes tous des corps qui baisent, qui boivent, qui mangent, qui rotent, qui pètent et qui pouffent !

Kundera définit l'humour comme « l'éclair divin qui découvre le monde dans son ambiguïté morale ». Découverte admirable, qui fait trembler le sens, mais qui est elle-même tremblante, précaire, incertaine, à la merci des amuseurs comme des agélastes. Tandis que ceux-ci persécutent l'humour, ceux-là l'ensevelissent sous les tombereaux de leur hilarité perpétuelle. Le rire de l'humour dérègle les unions sacrées ; le rire des amuseurs désigne des victimes sacrificielles. Le premier défie la meute ; le second la déchaîne. Le premier est une modalité du doute tandis que les verdicts du second tombent en cascade. Le rire de l'humour ébranle, par la fantaisie, les certitudes sentencieuses de l'idéologie ; le rire des amuseurs tranche les têtes qui dépassent et punit, à coups de caricatures, tous les arriérés, tous les retardataires, tous les réactionnaires, tous ceux qui contreviennent, par leur anachronisme, aux évidences narquoises de l'esprit du temps. « L'homme pense, Dieu rit », dit l'humour, et il rompt, en s'établissant dans cet intervalle, l'autosuffisance du monde ; les amuseurs, à l'inverse, baignent dans l'immanence et leur jovialité triomphante apporte à l'homme démocratique la double bonne nouvelle du nivellement de l'être et de la mort du rire de Dieu.

Bibliographie

Charles BAUDELAIRE, « L'essence du rire », in *Curiosités esthétiques, l'art romantique*, Classiques Garnier, 1962

Milan KUNDERA, *La Plaisanterie*, traduit du tchèque par Marcel Aymonin, édition révisée par Claude Courtot et l'auteur, Gallimard, 1985

—, *L'Art du roman*, Gallimard, 1986

—, *Les Testaments trahis*, Gallimard, 1993

—, Préface à *Miracle en Bohême* de Josef Skvorecky, préface traduite par Petr Kral, Gallimard, 1978

Karl MARX, « Critique de la philosophie du droit de Hegel », in *Œuvres*, tome III, Gallimard, « Bibliothèque de la Pléiade », 1982

Philip ROTH, *Opération Shylock. Une confession*, traduit de l'américain par Lazare Bitoun, Gallimard, 1995

Michel DE MONTAIGNE, *Les Essais*, livre III, chapitre XI, édition préparée par Pierre Villey, PUF, tome II, 1965

Les orphelins du temps

Lecture de *Tout passe*,
de Vassili Grossman

Comme Edmond Dantès, le flamboyant comte de Monte-Cristo, comme le colonel Chabert, comme Ludvik Jahn, Ivan Grigoriévitch, le héros de *Tout passe*, est un revenant. Après trente ans de déportation, il rentre à Moscou. Staline est mort. Nous sommes en 1953.

Pendant les premières années de la révolution, le monde souriait et s'offrait à Ivan Grigoriévitch : tandis que les enfants des nobles, des officiers de service, des prêtres, des entrepreneurs et des commerçants étaient interdits d'études supérieures du fait de leurs origines sociales, il put, lui, entrer à l'université car il sortait d'une famille d'intellectuels exerçant une profession. La lutte contre la reproduction des privilèges faisait de lui un privilégié. Il bénéficiait, si l'on veut, de la *discrimination positive* mise en place par la révolution pour vaincre l'inégalité. Mais au lieu de profiter de sa chance et de s'enflammer avec les amoureux des poings levés pour un mouvement qui exauçait le désir de justice tout en satisfaisant son intérêt personnel, il se querella très vite avec ses professeurs de matérialisme dialectique et défendit, en plein amphithéâtre, la liberté comme un bien égal à la vie. Il fut donc exclu de l'université et relégué pour trois ans dans la région de Semipalatinsk. Ainsi commença son long destin carcéral : trente années s'écoulèrent, durant lesquelles il ne passa qu'un an en liberté. Ses amis et la femme qu'il aimait veillèrent longtemps sur son souvenir. Ivan Grigoriévitch leur manquait. Puis l'usure vint. Les larmes séchèrent. La tristesse s'émoussa. L'accoutumance grignota la souffrance, les soucis de tous les jours remplirent le manque et prirent le pas sur les soins de la fidélité. Subrepticement, imperceptiblement, le temps faisait son « travail de fossoyeur ». Tout passe : tout cède et rien ne tient bon ; tout s'écoule et rien ne demeure, pas même à l'état de fantôme. Rayé d'abord des registres de la vie, Ivan était sorti de la conscience des êtres qu'il avait connus et s'apprêtait à quitter la « sombre cave » de leur subconscient pour s'installer dans le néant et l'oubli éternel quand vint le dégel. Au moment où il fut rendu au monde, autrement dit, il n'était même plus un spectre, son absence ne hantait quasiment personne. À la différence d'Edmond Dantès ou de Ludvik Jahn, cependant, il ne chercha pas à se venger. Non qu'il eût refusé de se laisser entraîner dans le marécage du règlement de comptes ; non qu'il fût, comme le colonel Chabert déclaré mort à Eylau et venu réclamer sa femme, son bien, ses positions perdues, finalement trop noble pour la vengeance. Si trop il y avait, en ce qu'il le concernait, c'était le trop d'années d'emprisonnement, le trop d'hommes dans son cas, la distance, enfin, qui le séparait, lui le revenant, lui, la personne déplacée, des vivants affairés qu'il croisait sur sa route. La colère, comme le pardon, était annihilée en lui par le sentiment de l'irréparable et de l'infranchissable. Il faisait partie de ceux que Vassili Grossman désigne, dans *Vie et Destin*, comme les orphelins et les mal-aimés du temps : « Le temps n'aime que ceux qu'il a enfantés, ses enfants, ses héros, ses travailleurs. Jamais, jamais, il n'aimera les enfants du temps passé et les femmes n'aiment pas les héros du temps passé et les mères n'aiment pas les enfants des autres. Tel est le temps ; tout passe et il reste. »

[Annotation manuscrite en marge : Regard your generation you do no longer exist !]

Ivan Grigoriévitch portait la marque de l'époque qui l'avait vu naître et l'empreinte du camp. Il n'y avait pas trace du passé, en revanche, sur le visage de ses contemporains qui vivaient en liberté. « Ils pensaient, ils vivaient, écrit Grossman, en conformité avec le présent. Leur vocabulaire, leurs idées, leurs passions, leur sincérité même changeaient avec docilité et souplesse selon le cours des événements et la volonté des dirigeants. » Le retour ne pouvait donc pas mettre fin à l'exil, mais seulement télescoper le mimétisme éperdu des hommes libres et l'anachronisme monolithique des anciens déportés. Les premiers reflétaient l'esprit changeant du temps ; les seconds, vestiges d'un temps immobile, étaient des inadaptés profonds. Et puis, sur qui exercer sa colère ? Ivan Grigoriévitch ignorait le nom de son dénonciateur. Alors quand il tombe, par hasard, sur celui-ci – un ancien condisciple de ses années universitaires –, il le salue comme si de rien n'était. Et quand son vis-à-vis, Vital Antonovitch Pinéguine, réalisant qu'il ne sait rien, propose, ému, attendri par le soulagement qui le submerge, de lui prêter de l'argent « en toute simplicité, entre travailleurs », Ivan Grigoriévitch le regarde simplement dans les yeux avec une « curiosité mêlée de tristesse ». Rien d'autre n'aura eu lieu. Il n'y a pas de place pour le comte de Monte-Cristo sur la scène de cette histoire. Et tandis que Pinéguine va noyer son malaise dans le léthé culinaire d'un restaurant d'Intourist, Ivan Grigoriévitch poursuit son chemin. Après avoir parlé, dans le jardin municipal, « avec un tuberculeux courbé comme un patin de traîneau dressé à la verticale », il finit par trouver une place de serrurier dans un artel d'invalides et il s'installe dans un coin de chambre qu'il loue à la veuve d'un sergent mort au front. Son périple s'arrête. Il pose sa valise. Il est de retour, mais il n'y a pas d'Ithaque pour l'homme des camps. Tout passe, aucun site, aucun séjour, aucun chez-soi ne déroge à la loi du temps.

On pourrait penser, à ce stade du récit, que Vassili Grossman offre à son personnage emblématique la réparation que celui-ci n'a pas les moyens ni la force d'exiger. La *Nemesis* du roman suppléerait ainsi aux représailles dans le roman. Le rôle que le XIXe siècle et ses suites assignaient encore à des héros ou à des forces sociales serait tenu, dans la seconde moitié du siècle des extrêmes, par des écrivains. L'engagement ferait place au témoignage et Edmond Dantès s'appellerait désormais Chalamov, Soljenitsyne, Vassili Grossman, Robert Antelme, Jean Améry ou Primo Levi. Car il ne disposerait, pour venger les morts et punir la scélératesse à l'échelle des millions, que de la littérature.

Sauf que Vassili Grossman se refuse à pointer un doigt accusateur sur les coupables. Il témoigne, mais pas au tribunal. Au lieu d'offrir en pâture à l'indignation de ses lecteurs le lamentable personnage qui endort ses scrupules et ses remords dans les vapeurs d'un repas plantureux, il interrompt son récit par une méditation littéralement *désarmante* sur les délateurs. Il passe, avec une liberté souveraine, du particulier au général, mais c'est pour placer aussitôt le général sous la surveillance du particulier et enrayer le mécanisme automatique de notre petite guillotine intérieure. Le traître, pour nous, est le plus abject, le plus méprisable, le plus répugnant des hommes. Nous avons raison de penser ainsi, c'est la *common decency*, la morale élémentaire qui dicte notre jugement mais cet instinct de justice a ceci de problématique qu'il réduit les individus à des *échantillons*. L'existence de chaque mouchard n'est que la traduction de son essence mouchardeuse. Entre ce qu'il est et qui il est, notre dégoût efface la différence. Grossman, qui n'est pas moins dégoûté, proteste pourtant contre cette oblitération. Il exhume infatigablement la différence ensevelie par la répugnance. Il dérobe obstinément l'existence au concept, il soustrait le particulier à la mainmise absolue du général. Il ne fait donc pas office d'Edmond Dantès, il déçoit, au contraire, et même affole notre désir de vengeance. Au lieu de nous simplifier romanesquement la vie, il transforme en casse-tête les situations apparemment les plus limpides : « Condamner un homme est une chose redoutable même s'il s'agit du plus redoutable des hommes. » Et le voici lancé dans une étourdissante typologie des Judas. À chacun, il donne une biographie précise, des attributs concrets, une consistance propre. De chaque exemple, il fait un être irréductible ; de chaque illustration de la règle, une exception à la règle. Ainsi cet homme qui sort d'un camp, épuisé, misérable, dépourvu de tout : « Ses mains tremblent, il a les yeux creusés d'un martyr [...], ses amis chuchotent qu'en son temps, il s'est mal conduit pendant les interrogatoires. » C'était un homme ordinaire, qui buvait du thé, qui allait au théâtre, qui aimait à s'entretenir avec ses amis de ses lectures, qui « faisait parfois preuve de bonté ». Mais on l'a injurié, on l'a battu, on l'a empêché de dormir, on l'a terrorisé en le menaçant de la peine capitale. Il a donc craqué : il a calomnié un innocent. Celui-ci, il est vrai, n'a pas été arrêté alors que son Judas a fait douze ans de bagne.

47

Cette histoire compte tant de circonstances atténuantes que Grossman n'a aucun mal à retenir notre guillotine. Mais les choses sérieuses commencent avec Judas II. Celui-ci n'a pas passé un seul jour en prison. On ne l'a pas assoiffé, on ne l'a pas menacé, on ne l'a pas nourri de hareng saur. C'était un indicateur zélé qui a contribué, par ses rapports, à perdre un grand nombre de gens. Et, tandis qu'il détruisait méticuleusement la vie des autres, il acquérait « une réputation de gastronome et de connaisseur des vins géorgiens ». Alors ? Alors, même lui a une histoire et, sur cette histoire, l'ange de la colère se casse les dents : « Son père, qui avait de la fortune, était mort du typhus en 1919, dans un camp de concentration, sa tante avait émigré à Paris avec son mari, qui était général, son frère aîné combattait comme volontaire dans les armées blanches [...]. Tous les jours, à toute heure, ils sentaient, lui et sa famille, que le fait d'appartenir à leur classe sociale était une limitation, une tare. » Cet homme vivait dans la terreur du Monde Nouveau... « Et voici que le Monde Nouveau l'initia. Le petit moineau ne piaula pas, ses petites ailes ne tremblèrent pas quand ce Monde Nouveau eut besoin de son esprit et de son charme. Il apporta tout sur l'autel de la patrie. »

Et Grossman continue sa plongée dans les abîmes. Il nous présente un nouveau camarade, Judas III, un homme qui, en 1937, a écrit à la volée plus de deux cents dénonciations. Ceux qu'il dénonçait n'étaient pas des contre-révolutionnaires mais des membres du Parti, des combattants de la guerre civile, des activistes. Pourquoi ce choix ? Pour faire place nette. Pour monter en grade dans le Parti. Pour satisfaire son ambition en se débarrassant de ceux qui lui étaient supérieurs par leur éducation et leur passé héroïque. Bref, la monstruosité même ! Et pourtant, ici encore, Grossman frustre l'appétit de juger de son lecteur – il lui dérobe la proie qu'il venait de lui offrir. Ce n'était pas par méchanceté que cet homme agissait si méchamment, c'était par devoir, par obéissance. Et pas n'importe quelle obéissance, l'obéissance au *Parti de l'Insubordination*. Membre zélé des Jeunesses communistes rurales, il faisait ce que lui avaient demandé ses vieux mentors : il prenait part, en pourchassant l'esprit impur, à l'établissement du Bien. Ainsi déchargé du fardeau de la liberté par l'instance qui s'assignait pour mandat la libération de tous les hommes, « il croyait que son mensonge servait une vérité supérieure, il percevait jusque dans la délation une vérité suprême ».

Et Grossman réserve le meilleur, c'est-à-dire le pire, pour la fin : Judas IV. Nul sens du devoir en lui. Nulle falsification du Bien. Nul aveuglement idéologique. Nulle confusion des valeurs. Nul dévoiement de l'idéal. Nul désir d'expier une origine aristocratique ou bourgeoise. Nul penchant à l'obéissance. Judas IV est *intéressé*. C'est même un fanatique de l'égoïsme : « Il est l'inventeur d'un impératif catégorique qui est l'antithèse de celui de Kant : l'homme, l'humanité est toujours pour lui un moyen de satisfaire son goût des objets. » Poussé par l'avidité à l'exclusion de tout autre mobile, il dénonce sans vergogne ceux dont il guigne les richesses. Ce Judas-là n'a rien pour lui. Grossman néanmoins retient le poing de son lecteur qui se lève pour frapper et exercer la justice d'Edmond Dantès : « Sa passion pour les objets est née de la misère. » Et cette misère qui colore implacablement le songe, le désir, l'espoir, l'imagination, toutes les formes humaines d'exploration du possible, Grossman ne se contente pas de l'évoquer, il l'incarne, il la décrit, il la détaille, il en dénombre méticuleusement les éléments : « La chambre de huit mètres carrés où couchent onze personnes, où ronfle un paralytique, où gémissent deux jeunes mariés tout frémissants, où une vieille femme marmonne ses prières, où l'enfant pleure qui a mouillé ses couches [...], le pain de campagne brun-vert, fait de farine et de feuilles

50

pilées, la soupe de pommes de terre gelées ache-
tées au rabais que l'on vous sert trois fois par
jour à Moscou [...], les fourchettes qui n'ont plus
que deux dents, les verres épais et troubles [...],
l'imperméable sale, sous lequel en décembre on
met une veste ouatée toute déchirée, l'attente de
l'autobus l'hiver au petit matin, l'impitoyable
presse du tramway succédant à l'effroyable promiscuité de la nuit... » Rien de tout cela ne peut
servir d'excuse. Grossman n'est pas un presta-
taire d'indulgences. La zone grise qu'il dévoile au
lecteur naturellement manichéen n'est pas le lieu
où s'estompe jusqu'à disparaître complètement
la distinction du Bien et du Mal. Mais sa faculté
d'envisager la réalité sous toutes ses facettes
déjoue nos visions justicières. Le comte de
Monte-Cristo est congédié : nos romans fantasmatiques sont taillés en pièces par l'imagination
du roman.

Il est vrai que Vassili Grossman, écrivain soviétique, connaît le sujet de l'intérieur. Comme
l'écrit Levinas : « Il se croyait certainement en
octobre 1917 entré dans l'ère des accomplisse-
ments eschatologiques. » Longtemps son œuvre a
témoigné, avec sincérité, de cette espérance. En
1937, il a mis son nom au bas d'une pétition qui
condamnait la conspiration bakounino-trotskiste
et réclamait la peine capitale pour ses membres.

51

En 1953, quand battait son plein la campagne contre les médecins juifs accusés d'être des empoisonneurs, il s'est résolu à signer avec d'autres intellectuels une lettre à Staline qui dénonçait ces agissements méprisables mais rappelait qu'il y avait parmi les Juifs beaucoup de patriotes soviétiques et d'honnêtes travailleurs. Selon Semion Lipkine qui relate cette affaire, Grossman avait dû se dire que, au prix de la mort inévitable de quelques-uns, on pouvait sauver ce malheureux peuple. Mais, bien que la lettre n'ait pas été, au bout du compte, envoyée à Staline, Grossman s'est repenti jusqu'à la fin de sa vie d'avoir commis cet acte. Et cette brûlure intime a sans doute inspiré la scène extraordinaire de *Vie et Destin* où Victor Pavlovitch Strum, le grand physicien, rentré en grâce après plusieurs années sur la corde raide, est pressé par quelques collègues de signer une lettre dénonçant la campagne « scélérate » menée à l'étranger contre la Russie soviétique. Dans ce texte, il était fait référence à « l'écrivain ennemi du peuple Babel, l'écrivain ennemi du peuple Pilniak, l'académicien ennemi du peuple, Vavilov, l'artiste ennemi du peuple, Meyerhold », et il était affirmé que les médecins Pletnev et Levine, « ces dégénérés, cette perversion du genre humain », avaient bien assassiné Maxime Gorki. Ce langage et ces accusations écœuraient Strum.

Mais ses collègues le regardaient avec affection, avec douceur. Ils ne le menaçaient pas, ils le flattaient. Et, peu à peu, « la tristesse, le dégoût, le pressentiment de sa docilité l'envahirent. Il sentit sur lui le souffle tendre du grand État et il n'avait pas la force de se jeter dans les ténèbres glacées. Il n'avait plus de force du tout. Ce n'était pas la peur qui le paralysait, c'était autre chose, un sentiment terrifiant de soumission ». Ce sentiment terrifiant, cette inclination irrésistible, on les retrouve dans *Tout passe* quand Nikolaï Andréiévitch, le cousin d'Ivan Grigoriévitch, réclame, lors d'un meeting, une sévérité exemplaire contre les médecins juifs alors qu'il ne croit pas un instant à leur culpabilité.

Grossman a donc sa place dans la grande typologie des Judas. Nous, ses lecteurs occidentaux, nés après la bataille, non. Ou peut-être que si quand même, maintenant que les nouvelles technologies offrent des possibilités extraordinaires au désir d'envahir et de dénoncer, en la diffusant, la vie des autres, avec, en plus, l'alibi merveilleux de ne pas servir le pouvoir politique mais de viser également ceux qui le détiennent. De toute façon, si c'est un avantage que de n'avoir rien fait, il ne faut pas en abuser par des jugements péremptoires, par des verdicts à l'emporte-pièce. Et puis, soyons francs, qui, parmi les enfants gâtés de l'Histoire que nous sommes, n'a pas senti le souffle tendre du conformisme idéologique et n'a pas préféré signer un appel citoyen contre l'exclusion, la discrimination, l'homophobie, la misogynie, l'intolérance et le racisme, plutôt que de rejoindre les beaufs et les bégueules dans l'enfer même purement symbolique de la réaction ? Allez donc repousser « l'âme omnipotente qui vous caresse et vous tapote l'épaule »…

Grossman, au demeurant, n'écrit pas pour se confesser, il écrit pour comprendre. Et si une leçon se dégage de son esquisse d'une phénoménologie de la délation, ce n'est pas que les Judas sont coupables ni qu'ils sont innocents, c'est que les ressources de la tyrannie sont infinies et que la liberté humaine est fragile. L'homme, contrairement à ce qu'annonce la trop célèbre formule de Maxime Gorki, citée dans *Tout passe*, cela ne sonne pas fier.

Grossman s'interdit désormais les roulements de tambour. Son siècle lui a appris, comme à Levinas, que l'on peut créer une âme d'esclave et que, loin des métaphysiques orgueilleuses, il incombe à la liberté d'être modeste, c'est-à-dire de prévoir le danger de sa déchéance et de se prémunir contre elle. « Faire des lois, créer des institutions raisonnables qui lui éviteront les épreuves de l'abdication, voilà la chance unique de l'homme » : c'est la leçon que Levinas tire de l'horreur nazie. C'est aussi le sens qui se dégage de la typologie des Judas soviétiques dans *Tout passe*.

En outre, à l'époque où il écrit ce livre testamentaire, Grossman a cessé de calculer ou de tergiverser. Ses dernières illusions sont tombées et il a brûlé ses vaisseaux. Il n'est plus un écrivain soviétique. Il ne cherche plus à amadouer le régime. Et le régime le lui rend bien : le manuscrit de *Vie et Destin* est confisqué. Dans la Russie poststalinienne des années 1960, Grossman devient une non-personne. Il est donc plus proche de l'anachronique Ivan que de Victor son cousin caméléon quand il rédige sur le lit d'hôpital, où il est meurt rongé par le cancer, le chapitre « Les Judas ». Mais il n'a oublié ni ses envolées messianiques ni ses compromissions : il veut montrer qu'il y a moins de méchants avérés, moins de salauds intégraux, moins de psychopathes, moins de pervers et de prédateurs qu'il n'y a de mal sur la terre. Il a aussi le sentiment que, en faisant la part trop belle à l'accusation, il reconduirait la vision du monde qui l'a autrefois soulevé de terre et dont il constate maintenant les retombées dévastatrices. Qu'est-ce que la passion révolutionnaire, sinon la volonté exaltée de parvenir à une société parfaite en extirpant le principe malin qui fait obstacle ? Cette passion a enfanté l'État qui l'a ensuite mise à mort. Le Mal, autrement dit, ne procède pas d'une corruption de l'élan originel. Le Mal est dans l'élan lui-même, dans le fait de localiser le Mal, de lui découvrir une adresse et de se vouer avec une ardeur rédemptrice à son anéantissement.

La logeuse d'Ivan Grigoriévitch, Anna Sergueievna, raconte la dékoulakisation et la famine en Ukraine. Elle était une gamine alors, une môme, dirait Kundera, une môme engagée, une activiste. On lui parlait des koulaks aux réunions. Le cinéma, la radio, les écrivains, Staline lui-même répétaient que les koulaks étaient des buveurs de sang, des parasites, qu'ils exploitaient le travail des pauvres. Et elle céda à l'envoûtante logique de cette explication : « Tout le malheur vient des koulaks. Dès qu'on les aura exterminés, une ère heureuse commencera pour les paysans. » Pour défendre les plus pauvres, on chassa donc ceux qui avaient trois vaches ou plus, mais le premier printemps des kolkhozes ne tint aucune de ses promesses : les récoltes s'effondrèrent et l'État qui mettait tous ses espoirs dans le grenier à blé ukrainien fit éclater sa colère contre l'Ukraine. On désigna comme des koulaks camouflés ceux qui ne réalisaient pas le plan et vint alors l'idée de tuer les paysans par la famine. Les activistes qui conduisirent ce massacre n'étaient pas au départ des scélérats ou des criminels. C'étaient des idéalistes effrénés jusque dans leur matérialisme radical et leur impeccable efficacité. Ils habitaient un monde allégorique, un univers exclusivement peuplé de formes : le koulak, l'ouvrier, le bourgeois, l'aristocrate, le paysan pauvre. Ils ne se contentaient pas de soumettre le particulier au général, ils ne voyaient que le général. Les archétypes étaient pour eux plus réels que les individus, les noms plus tangibles que les êtres, les énoncés doctrinaux plus vivants que la vie, la division du monde en deux entités antagonistes plus vraie que la variété des situations et la diversité humaine. Nul visage ne les déconcertait jamais, rien ne les prenait de court car ils étaient entièrement immergés dans le drame de la Raison. Là le concept régnait sans partage, là les corps n'étaient que des supports, là se résorbait tragiquement la différence ontologique entre la réfutation des idées et l'élimination des personnes. Ennemis déclarés de la pensée pure, ces combattants n'en vivaient pas moins, selon la très profonde expression de Levinas, *à l'heure de la philosophie*. Une philosophie qui, s'étant saisie de l'histoire, était elle-même saisie par le roman et avait le double pouvoir d'échauffer et de glacer les cœurs. « Nous voulons, disait déjà

Robespierre, substituer dans notre pays la morale à l'égoïsme, la probité à l'honneur, les principes aux usages, les devoirs aux bienséances, l'empire de la raison à la tyrannie de la mode, le mépris du vice au mépris du malheur. » Et, fort de cette résolution, il ajoutait dans le même discours : « Punir les oppresseurs de l'humanité, c'est clémence ; leur pardonner, c'est barbarie. La rigueur des tyrans n'a pour principe que la rigueur : celle du gouvernement républicain part de la bienfaisance. » Anna Sergueievna prit part dans son adolescence à la farandole sanglante des abstractions sentimentales. Elle succomba à ce sortilège : la transfiguration narrative du meurtre, le retournement, par la parole idéologique, de la férocité en son contraire. Débordant d'enthousiasme révolutionnaire, elle surimposa au spectacle horrible de la violence illimitée le tableau enchanteur de l'Égalité terrassant le Crime. « Il n'existe plus que deux espèces humaines qui n'ont que la haine pour lien : celle qui écrase et celle qui ne consent pas à être écrasée », aurait-elle pu alors professer avec Paul Nizan, un autre rêveur intraitable et juvénile. Et puis, peu à peu, elle se réveilla, elle sortit de l'hypnose, elle s'arracha à ce que Pasternak, dans le *Docteur Jivago*, appelle la *domination inhumaine de l'imaginaire*, elle vit le carnage qu'elle voyait et elle prit conscience des *méfaits de la haine au nom de l'amour pour l'humanité écrasée* : « Comme ils ont souffert ces gens, comme on les a traités ! Mais moi, je disais : ce ne sont pas des êtres humains, ce sont des koulaks. Et plus j'y pense, plus je me demande qui a inventé ce mot : les koulaks. Est-il possible que ce soit Lénine ? Quelle damnation il encourt !... Pour les tuer, il fallait déclarer : les koulaks, ce ne sont pas des êtres humains. Tout comme les Allemands disaient : les Juifs, ce ne sont pas des êtres humains. »

Ce *tout comme*, cette parenté insoutenable entre ceux qui haïssaient les koulaks au nom de l'amour de l'humanité et ceux qui haïssaient l'humanité dans le Juif, se sont frayés à grand-peine un chemin dans l'esprit et le cœur d'Anna Serguéievna. Et elle reste très délicate à penser, aujourd'hui encore, même pour ceux qui font grand usage d'une catégorie dont Vassili Grossman ne disposait pas : le totalitarisme. Ainsi, dans un livre paradoxalement intitulé *La Complication,* le philosophe Claude Lefort affirme-t-il que les intellectuels français d'après guerre n'étaient pas attirés par la flamme messianique du marxisme mais par la force tout simplement : « Non pas seulement la force que procurait au Parti le soutien d'une fraction de la classe ouvrière, mais la force que dénotait leur capacité d'user ou d'accepter l'usage de la violence sans état d'âme, d'éprouver une inflexible conviction et de mépriser les hésitants et les tièdes, fussent-ils leurs alliés. » Si l'on en croit Lefort, autrement dit, l'engagement notamment sartrien relevait non de l'amour pour les opprimés mais tout à la fois du plaisir d'opprimer et de la servitude volontaire. Bref, Sartre avait l'âme basse, le Mal procédait du Mal c'est-à-dire de la dévotion pour la toute-puissance. Ce qui conduit l'auteur de *La Complication* à retirer au communisme comme au fascisme la qualité de phénomènes révolutionnaires. Ces monstres sont à ses yeux les avatars jumeaux de la contre-révolution. L'un et l'autre, dit-il, tendent à donner figure à ce que la révolution démocratique tient en échec : un pouvoir détaché de l'ensemble social, une loi qui régit un ordre immuable, une autorité spirituelle qui détient la connaissance des fins dernières de la conduite humaine et de la société. La vigilance s'impose donc toujours mais c'est une vigilance sereine : le sens de l'Histoire est préservé, le mouvement est sauf, les valeurs et les idéaux de l'humanité démocratique sont intacts, la morale n'est pas compromise dans le déchaînement de l'immoralité. Le Mal ne saurait en aucun cas sortir du Bien ou lui être, d'une manière ou d'une autre, imputable. À l'origine de l'infamie, il y a l'infamie ; les salauds sont toujours déjà des salauds ; la haine ou la peur de la démocratie habite les communistes et leurs compagnons de route, dès le départ. La grande énigme du monde contemporain se dissout ainsi, sous le nom de complication, dans la tautologie manichéenne. Rien certes n'est facile, mais tout est simple.

Vassili Grossman nous raconte une histoire très différente. Son *tout comme* est beaucoup plus inquiétant que celui de Claude Lefort. C'est bien pourquoi il a mis à le reconnaître davantage de temps encore qu'Anna Sergueievna. Il a fallu le choc de l'interdiction par Staline de publier *Le Livre noir sur l'extermination scélérate des Juifs par les envahisseurs fascistes allemands* dont il était avec Ehrenbourg le maître d'œuvre pour que l'intelligence des choses finisse par vaincre en lui les dernières résistances de l'idéologie et de l'espoir. Avant cette censure et sa complaisance manifeste pour l'obsession la plus sinistrement caractéristique de l'ennemi vaincu, l'idée d'une analogie entre les deux systèmes n'effleure pas l'esprit de Grossman. La guerre qui vient d'avoir lieu lui semble, tout au contraire, illustrer leur antagonisme inexpiable. Dans *Pour une juste cause*, le premier volume de son immense fresque sur la bataille de Stalingrad, il met en scène une confrontation édifiante et grandiose : d'un côté, le sentiment simple de l'unité soviétique, la volonté que « les travailleurs soient libres, heureux, riches, que la société soit organisée sur des bases de liberté et de justice » ; de l'autre, le désir fasciste de minéraliser l'homme, d'en faire un esclave privé de liberté et de bonheur dont la cruauté docile « s'apparente à celle d'une brique qui d'un toit s'abat sur la tête d'un enfant ». Grossman, malgré toutes les déconvenues, reste alors sous le charme du roman philosophique de l'Histoire. Et il fait d'Héraclite le précurseur de Hegel : « Jamais dans l'histoire millénaire de la Russie les événements ne s'étaient succédé à un rythme plus rapide, plus intense, jamais la sédimentation de la matière de l'existence n'avait été aussi riche qu'en ce dernier quart de siècle. Certes, avant la Révolution tout passait aussi, tout changeait, et l'homme ne pouvait pas plus qu'aujourd'hui se baigner deux fois dans le même fleuve. Mais ce fleuve coulait si lentement que les contemporains voyaient toujours les mêmes rives, et la révélation d'Héraclite leur semblait étrange et obscure. En revanche, quel Soviétique serait surpris par la vérité qui avait illuminé le Grec ? Cette vérité quittait aujourd'hui le domaine de la philosophie pour celui de la perception commune, la même pour un académicien et un ouvrier, un kolkhozien et un écolier [...]. En un court laps de temps la vie matérielle avait fait un bond en avant. La nouvelle Russie soviétique avait sauté un siècle, elle allait de l'avant, fonçait de toute la masse de ses terres et de ses forêts ; ce qui paraissait immuable depuis la nuit des temps avait changé : son agriculture, ses routes, les lits de ses fleuves. Des milliers d'estaminets, de bars, de cabarets avaient fermé ; disparus, les instituts pour jeunes filles nobles, les écoles paroissiales, les domaines des monastères, les propriétés des hobereaux, les hôtels particuliers, les bourses. Les vastes couches sociales composées des classes exploiteuses et de leurs serviteurs, tous ces gens dont la position semblait intouchable et que le peuple avait fustigés dans des chants pleins de colère, tous ces hommes dont les grands écrivains avaient dépeint le caractère, propriétaires terriens, marchands, industriels, courtiers en bourse, officiers de la Garde, usuriers, policiers, gendarmes avaient disparu, dispersés et anéantis par la Révolution. Disparus, les sénateurs, les conseillers d'État actuels et les conseillers privés, les assesseurs de collège, toute l'immense et lourde machine des fonctionnaires russes avec ses dix-sept classes bigarrées, disparus, les joueurs d'orgue de barbarie, les chanteuses de cabaret, les laquais et les majordomes… les mots comme "pane", "barine", "monsieur", "cher monsieur", "votre Grâce" et bien d'autres étaient passés d'usage. L'ouvrier et le paysan étaient devenus les maîtres de la vie. »

Entre cet hymne à la liquéfaction de toutes choses dans le grand fleuve du devenir et ses deux derniers romans, une révolution métaphysique a eu lieu dans l'esprit de Grossman : rejetant, sous l'éclair du dernier avatar de la terreur stalinienne, le sens triomphalement hégélien qu'il avait cru pouvoir attribuer à la grande maxime héraclitéenne – *tout passe et rien ne demeure* –, il lui a rendu sa mélancolie native et une nouvelle lecture des événements qu'il avait traversés s'est imposée à lui.

Dans son enfance, Ivan Grigoriévitch habitait sur le littoral de la mer Noire une région que les Russes avaient conquise lors de la guerre du Caucase. Après la conquête, les Tcherkesses étaient partis. Mais les traces de leur présence n'avaient pas été tout à fait effacées. Les vestiges de foyers en ruine et les cimetières témoignaient de leur existence disparue, et ces vestiges remplissaient l'âme du petit garçon d'une douleur obscure. Ce passé pour lui n'était pas passé, il l'entendait se lamenter à voix basse. Et quand Ivan essayait, avec les mots dont il disposait, d'expliquer l'étrange tristesse qui l'étreignait, son père lui opposait déjà les routes, les jardins, les hôpitaux, les écoles, les vignobles, c'est-à-dire la marche de l'Histoire : « Le progrès exige des victimes, il n'y a pas lieu de pleurer sur ce qui est inévitable, tu comprends ce que je veux dire ? » Et à son fils entêté qui objectait qu'il y avait des jardins bien avant eux, et que ces jardins étaient revenus à l'état sauvage, le père assénait cette réponse définitive : « Oui, oui mon ami. Quand on abat une forêt, les copeaux volent. » Ce dicton, Ivan Grigoriévitch l'entendit une deuxième fois, des années plus tard, en pleine dictature révolutionnaire. C'était un compagnon de captivité, fonctionnaire du Parti, qui y avait recours mais, cette fois, pour justifier son propre sort : « Quand on abat la forêt, les copeaux volent mais la vérité du Parti reste la vérité, elle est au-dessus de mon malheur [...]. Je suis un de ces copeaux. » La vérité du Parti reste la vérité parce que ce parti n'est précisément pas une partie du Tout, c'est l'incarnation du Tout. Et ce Tout, c'est l'accomplissement du Bien. Le Parti comble le hiatus entre le droit et le fait et réalise l'égalité au lieu, comme les partis bourgeois, de dissimuler la perpétuation de l'injustice sous les proclamations égalitaires. Un dessein aussi immensément généreux ne peut être exécuté sans dommages collatéraux. Impossible, quand on aime l'humanité et qu'on se voue à son émancipation, de veiller comme il faudrait à chaque petit détail : voilà ce que dit, en substance, le vieux militant. Il se vit comme une bavure sans importance, il s'exhausse au-dessus de son destin funeste mais anecdotique pour admirer l'ampleur et la splendeur de la promesse universelle. Mais Ivan a mûri depuis la discussion avec son père : il ne se laisse pas intimider ; même dans cette version stoïque, la marche de l'Histoire ne lui cloue plus le bec. Il répond du tac au tac : « Mais justement, le malheur c'est qu'on abatte la forêt. Pourquoi abattre la forêt ? »

L'innocence souveraine de la question nous donne à entendre comme pour la première fois ce proverbe mille fois rabâché. En visant la prémisse du raisonnement, Ivan Grigoriévitch dissipe, d'un seul coup, son halo d'évidence. Il réveille en sursaut la langue, et aussi celui qu'elle endort : le fonctionnaire-copeau se trouble car ce que lui signifie Ivan, c'est que le grand Tout où il puise sa consolation n'a rien d'admirable ; les forêts gaillardement abattues par le parti de l'Homme sont les multitudes humaines. N'est-ce pas mettre la rhétorique au service de la terreur que d'effacer ainsi d'une métaphore, et sans avoir l'air d'y toucher, la coupure qui sépare la destruction des choses du meurtre de masse ? L'image du copeau n'a-t-elle pas pour effet, comme le concept de koulak, de plonger ses utilisateurs dans *l'oubli du crime* ?

Mais il y a une objection plus radicale encore dans le questionnement d'Ivan Grigoriévitch. Il prend au pied de la lettre la figure choisie pour rapatrier le mal que l'homme fait à l'homme dans la normalité du travail de défrichage ou de fabrication. Il ne remet pas seulement en cause la métaphore végétale au nom de la spécificité de l'humain, il dénonce implicitement l'inhumanité de la déforestation totale. L'espace de la société est gagné sur les forêts – mais le monde de l'Homme, est-ce seulement l'Homme ? Tout, dans ce monde, est-il fonction, moyen, instrument ou moment de la réalisation de la Raison ? Tout doit-il être requis et englouti par le processus historique ? Pourquoi faut-il abattre les forêts et condamner l'humanité à la tautologie sans recours de ses villes, ses routes, ses trains, ses programmes, ses artefacts ?

Et ce n'est pas fini : la lecture de *Vie et Destin* nous invite à poursuivre la réflexion. Il est question d'arbres, en effet, dans les carnets d'Ikonnikov, ce faible d'esprit qui est aussi, comme l'écrit Levinas dans une de ses lectures talmudiques, un « esprit inspiré » et qui, détenu dans un camp nazi, choisit la mort plutôt que de participer aux travaux de terrassement pour la construction des chambres à gaz : « Il y a longtemps, alors que je vivais dans les forêts du Nord, je m'étais imaginé que le Bien n'était pas dans l'homme, qu'il n'était pas dans le monde des animaux et des insectes, mais qu'il était dans le royaume silencieux des arbres. Mais non ! J'ai vu la vie de la forêt, la lutte cruelle que mènent les arbres contre les herbes et les taillis, pour la conquête de la terre. Des milliards de semences, en poussant, étouffent l'herbe, font des coupes dans les taillis solidaires. Des milliards de pousses autosemencées entrent en lutte les unes contre les autres. Et seules celles qui sortent victorieusement de la compétition forment une frondaison où dominent les essences de lumière. Et seuls les arbres forment une futaie, une alliance entre égaux. Les sapins et les hêtres végètent dans un bain crépusculaire, dans l'ombre du dôme de verdure que forment les essences de lumière. Mais vient, pour eux, le temps de la sénescence et c'est au tour des sapins de monter vers la lumière en mettant à mort les bouleaux. Ainsi vit la forêt dans une lutte perpétuelle de tous contre tous. Seuls des aveugles peuvent croire que la forêt est le royaume du Bien. »

Le grand calme sylvestre est donc un leurre selon Ikonnikov. Les poètes mentent ou se mentent : une guerre perpétuelle sévit dans les

68

forêts ; une vie violente, une spontanéité assassine s'y déchaîne sans interruption. À celui qui sait voir et entendre, le royaume silencieux des arbres offre le spectacle effrayant de forces égoïstes qui rivalisent de férocité pour être et pour imposer leur hégémonie. Il n'y a pas d'échappatoire romantique à la violence des hommes.

Il n'y a pas non plus de solution historique : « Là où se lève l'aube du Bien, écrit encore Ikonnikov, les enfants et les vieillards périssent, le sang coule [...], j'ai pu voir en action la force implacable de l'idée de bien social qui est née dans notre pays. » Ce n'est pas la force brute en effet, c'est la force implacable du Bien, c'est la haine au nom de l'amour qui se sont abattues sur les paysans de l'Ukraine. Mais si le Bien n'est ni dans la nature ni dans l'histoire, que reste-t-il ? À quoi peut-on croire pour ne pas sombrer dans le désespoir nihiliste ? Il reste, dit Ikonnikov, la « petite bonté », la bonté de tous les jours, la bonté sans discours, sans doctrine, sans système, la bonté des hommes hors du Bien religieux ou social, le désintéressement tacite, le geste simple d'un être pour un autre être, en-deçà ou au-delà des généralités et des abstractions. Levinas recopie pieusement les exemples donnés par Ikonnikov de cette bonté ordinaire, c'est-à-dire de cette poussée extraordinaire de la miséricorde au cœur de l'inhumain : « C'est la bonté d'une vieille qui, sur le bord de la route, donne un morceau de pain à un bagnard qui passe, c'est la bonté d'un soldat qui tend sa gourde à un ennemi blessé, la bonté de la jeunesse qui a pitié de la vieillesse, la bonté d'un paysan qui cache dans sa grange un vieillard juif. C'est la bonté de ces gardiens de prison qui, risquant leur propre liberté, transmettent des lettres de détenus adressées aux femmes et aux mères. » Mais Levinas arrête son énumération avant Ikonnikov. Ikonnikov, et avec lui Vassili Grossman, n'en restent pas à l'humanisme de l'autre homme. Ils franchissent la barrière des espèces, ils comblent l'abîme. Et dans le silence de la terre, ils entendent maintenant l'appel du vivant. Cette bonté exempte d'idéologie « s'étend sur tout ce qui vit, même sur la souris, même sur la branche brisée que le passant, s'arrêtant un instant, remet dans la bonne position pour qu'elle puisse cicatriser et revivre ». Revoici donc l'arbre et revoici la vie, mais la vie comme vulnérabilité, fragilité, mortalité, la vie comme vieillesse et non comme ivresse ou force vitale. Pour le dire avec les mots d'Élisabeth de Fontenay, l'arriération d'Ikonnikov rejoint ici la maturité d'Ivan Grigoriévitch « dans l'exorbitante proposition selon laquelle l'être-pour-la-mort ou l'être-jeté est le lot non point seulement

70

des hommes mais de tous les vivants ». Tout ce qui vit passe, et ce passage, cette fugacité font la dignité de tout ce qui vit.

Dans *La paix soit avec vous*, les notes de voyage en Arménie qui composent l'avant-dernier livre de Vassili Grossman, on lit ces lignes scabreuses et déchirantes : « Le mouton a des yeux clairs, un peu comme des grains de raisin, vitreux. Le mouton a un profil humain, *juif*, arménien, secret, indifférent, bête. Des millénaires durant, les bergers ont regardé les moutons. Les moutons ont regardé les bergers. Ils sont devenus semblables. Les yeux d'un mouton regardent l'homme d'une manière bien particulière – ils sont aliénés, vitreux ; un cheval, un chien, un chat n'ont pas ces yeux-là pour regarder l'homme. C'est probablement avec des yeux pareillement dégoûtés et aliénés que les habitants du ghetto auraient considéré leur geôlier gestapiste si le ghetto avait existé cinq mille ans durant, et que tous les jours de ces millénaires des gestapistes étaient venus chercher des vieilles femmes et des enfants pour les anéantir dans des chambres à gaz. Mon Dieu, combien de temps l'homme devra-t-il implorer le mouton pour qu'il lui pardonne, pour qu'il ne le considère pas de cet œil-là ! Quel doux et fier mépris dans ce regard vitreux, quelle divine supériorité que celle de l'herbivore innocent sur les meurtriers auteurs de livres et créateurs d'ordinateurs ! » Ainsi, l'auteur de *Pour une juste cause* rend-il les armes à la passivité. Il s'incline devant la faiblesse. Il ne récuse pas l'image cruelle des Juifs qui se sont laissé conduire comme des moutons à l'abattoir, il va plus loin : il la porte au crédit des victimes – animales aussi bien qu'humaines. Il érige l'innocence, c'est-à-dire le fait de ne pas nuire, en valeur suprême. Il classe les êtres non selon leur puissance, mais selon leur douceur. Il abandonne enfin le parti des records et des exploits pour choisir celui des désarmés et il répond, en guise d'adieu, au parrain des lettres soviétiques : *le mouton, cela sonne fier.*

Qu'en est-il désormais pour Vassili Grossman de la fin ultime qui fléchait le temps ? Qu'en est-il de la grande promesse qui justifiait tous les sacrifices : rendre l'ouvrier et le paysan maîtres de la vie ? Cette promesse n'est pas émancipatrice, elle est fatale, car elle associe la liberté et la domination. Or la liberté, ce n'est pas le règne humain accompli, ce n'est pas la coïncidence finale du réel et du rationnel, c'est le défi jeté par la pluralité humaine à cette ambition totalisante. En voulant réduire, jusqu'à la faire disparaître, la part de l'immaîtrisable et de l'incalculable, on bâtit une société d'esclaves. Ce qu'était déjà la

Russie avant Lénine. Alors que l'Occident était fécondé par un accroissement de liberté, le développement de la Russie, écrit Grossman dans les dernières pages, méditatives et sacrilèges, de son dernier livre, le développement de la Russie s'est confondu avec le développement de la servitude. Il rejette donc, au terme de sa vie et de son œuvre, les deux grandes prétentions de la révolution dont il fut un zélateur : la prétention à l'universalité et la prétention à la rupture. Lénine a voulu briser avec le passé russe, il a cru trancher au bistouri le lien du progrès et du servage ; mais, par sa radicalité même, il a consolidé ce lien et ce paradoxe tragique a trouvé son apothéose dans la toute-puissance méthodique de l'État stalinien. Tout passe – les régimes, les dynasties, les révolutions –, demeure la servitude.

Mais la machinerie la plus perfectionnée elle-même se grippe : « Soudain, le 5 mars 1953, Staline mourut. La mort de Staline fit littéralement irruption dans le système gigantesque de l'enthousiasme mécanisé, de la colère populaire et de l'amour populaire décrétés par le comité de district du Parti. Staline mourut sans qu'aucun plan l'eût prévu, sans instruction des organes directeurs. Staline mourut sans ordre personnel du camarade Staline. Cette liberté, cette fantaisie capricieuse de la mort contenait une sorte de dynamite qui contredisait l'essence la plus secrète de l'État. » Même en l'absence de résistance effective, la réalité, à un moment ou à un autre, s'écarte du programme. Quand la vie tire sa révérence au maître de la vie, que reste-t-il de sa maîtrise ? Le décès inopiné du Grand Planificateur ébranle subrepticement tout l'édifice de la planification. L'arraisonnement a des ratés, la mise au pas du monde par la Volonté ne peut complètement réussir. Il y a de l'événement, il y a des couacs, il y a de l'irréductible, il y a l'«incontrôlabilité des choses réelles» et cet *il y a* constitue pour Grossman, définitivement revenu du roman de la philosophie, la matière même du roman. Dans *Vie et Destin*, déjà, il oppose la voix de Tchekhov à la voie de Lénine. Tchekhov, fait-il dire à l'un de ses personnages, «a introduit dans la conscience collective [...] des médecins, des ingénieurs, des avocats, des instituteurs, des professeurs, des propriétaires terriens, des industriels, des boutiquiers, des gouvernantes, des laquais, des étudiants, des fonctionnaires de tout grade, des marchands de bestiaux, des entremetteuses, des sacristains, des évêques, des paysans, des cordonniers, des modèles, des horticulteurs, des zoologistes, des aubergistes, des gardes-chasse, des prostituées, des pêcheurs, des officiers, des sous-officiers, des artistes peintres, des cuisinières, des écrivains, des concierges, des religieuses, des soldats, des sages-femmes, des forçats de Sakhaline ». Cette énumération sans fin rappelle et recoupe celle de *Pour une juste cause*. Sauf que le climat n'est plus le même. Tchekhov désormais dame le pion à Hegel. Il incarne le désaveu du processus, le refus de séparer le bon grain de l'avenir et l'ivraie rétrograde. Au partage de la diversité humaine entre vivants de plein droit et survivants d'un monde révolu, il oppose une curiosité et une empathie littéralement insatiables. Il enraye ainsi le mécanisme de la sélection, il met en déroute le tribunal de l'Histoire et va même jusqu'à faire sortir les noms propres du carcan des noms communs. Ses personnages, ajoute Grossman, sont des hommes avant d'être des Russes, des Tatares, des Ukrainiens, des boutiquiers, des ouvriers, des koulaks ou des prêtres. Des hommes, c'est-à-dire non des échantillons mais des individus, non des spécimens mais des cas particuliers, non les exemplaires interchangeables d'une espèce mais des êtres tous pareils et tous différents.

Dans *L'Art du roman*, Kundera écrit : « Autrefois moi aussi j'ai considéré l'avenir comme seul juge compétent de mes œuvres et de mes actes. C'est plus tard que j'ai compris que le flirt avec l'avenir était le pire des conformismes, la lâche flatterie du plus fort. Car l'avenir est toujours plus fort que le présent. C'est bien lui en effet qui nous jugera. Et certainement sans aucune compétence. Mais si l'avenir ne représente pas une valeur à mes yeux, à qui suis-je attaché : à Dieu ? à la patrie ? au peuple ? à l'individu ? Ma réponse est aussi ridicule que sincère : je ne suis attaché à rien sauf à l'héritage décrié de Cervantès. » De même Grossman, quand il écrit *Tout passe*, ne revendique plus d'autre juste cause, face aux généralités mortifères de l'idéologie, que l'héritage fragile et menacé de Tchekhov.

Panta rei, tout bouge, tout évolue, tout cède et rien ne tient bon, dit-il encore, mais au lieu de célébrer en ces termes le train de l'Histoire lancé à pleine vitesse, il regarde le convoi qui se rend à Krasnoïarsk, il enregistre le progrès dans la surveillance que constitue l'installation de projecteurs sur les toits et de râteaux d'acier dans la caisse des wagons de queue, et surtout il scrute l'intérieur du train. Il voit, par exemple, Macha. Elle a été arrêtée pour n'avoir pas dénoncé son mari qui avait fait lui-même l'objet d'une condamnation à dix ans, assortie de la privation du droit d'écrire, pour non-dénonciation de traître et de contre-révolutionnaire. Un trajet de neuf mille kilomètres l'amène au sépulcre sibérien. Il la voit descendre du convoi, ses doigts gelés dans les manches de sa veste ouatinée toute tachée de graisse. Il la voit dans le camp, les reins brisés par les sacs de chaux, les pelles, les planches, les baquets d'eau sale, les tinettes pleines d'excréments, les tas de linge mouillé qu'on lui fait transporter. Il la voit travailler jusqu'à la tombée de la nuit « comme une jument, comme une chamelle, comme une ânesse ». Mais elle n'est pas encore rivée à sa misère. Son labeur exténuant n'est pas son seul compartiment de vie. L'inquiétude que lui inspire le sort de son mari et de sa petite fille subsiste. L'espoir n'est pas mort. Le tourment même qu'elle éprouve l'élève au-dessus de la condition qui lui est faite.

Un jour, après l'interminable hiver sibérien, on envoie Macha et deux autres femmes déblayer « le chemin qui menait à la *cité socialiste* où les chefs et le personnel salarié vivaient dans des *cottages* en rondins ». Sur le chemin du retour, elles entendent, en passant devant l'entrepôt de la scierie, la radio de Magadan : « La musique n'était pas triste mais gaie, c'était une musique de danse et Macha pleurait en l'écoutant comme jamais de sa vie elle n'avait pleuré. Ses deux compagnes, une ancienne koulak et une vieille femme de Leningrad qui portait des lunettes aux verres fêlés, pleuraient à ses côtés. Et on avait l'impression que les verres des lunettes étaient fêlés de larmes. » L'homme qui les escorte est stupéfait, le lecteur aussi : pourquoi ces femmes endurcies par le froid, la privation, le travail harassant et la brutalité quotidienne éclatent-elles en sanglots en entendant une musique de danse ? Pourquoi Macha avait-elle alors « senti brusquement sa chemise sale sur son corps, ses chaussures lourdes comme des fers à repasser, son caban à l'odeur aigre ? Pourquoi, soudain, cette question comme un couteau au cœur : qu'avait-elle fait, elle, Macha, pour connaître un tel sort, ce froid glacial, cette dépravation, cette résignation progressive à son destin concentrationnaire ? ».

Macha pleure de nostalgie mais la nostalgie qui la saisit, ce n'est pas la délectation de l'attendrissement passéiste, c'est l'extinction de l'attente. Ce n'est pas le franchissement de l'intervalle entre les temps, c'est la découverte crucifiante de l'irrémédiable. Ce n'est pas le plaisir doux-amer de feuilleter un album, c'est la soudaine mise à nu d'un abîme. Ce n'est pas l'évocation langoureuse d'un autrefois ou d'un ailleurs, c'est un deuil foudroyant et fatal. L'interruption du silence glacé par quelques notes dansantes dévaste Macha. L'allégresse de la mélodie dissipe tous les mirages dont s'enveloppait encore sa solitude. La musique joyeuse qu'elle entend est la musique tragique du *plus jamais* : plus jamais la frivolité, plus jamais la coquetterie, la séduction, l'insouciance. Le jaillissement de la légèreté au cœur de l'exil sibérien lui fait violemment savoir qu'il n'y aura pas de terme à sa misère, que c'en est fini pour elle et ses codétenues de la banalité des jours heureux, des jours heureux de la banalité. Sous l'effet de la madeleine de Magadan, la mémoire involontaire se met en action mais les instants passés qui remontent à la surface ont un atroce goût de cendre. La désolation est consommée, le temps perdu ne se retrouvera plus : « L'espoir, ce fardeau vivant qui lui oppressait le cœur, s'enfuit, mourut. En entendant cette allègre musique de danse, Macha perdit pour toujours l'espoir de revoir Youlka, sa Youlka égarée parmi les centres d'accueil, les collecteurs, les colonies, les maisons d'enfants, dans l'immensité de l'union des républiques socialistes soviétiques. Dans les foyers et dans les clubs, les enfants dansent sur une musique comme celle-là. Et Macha comprit que son mari n'était nulle part, qu'il avait été fusillé et qu'elle ne le verrait jamais plus. »

Il y a d'autres livres sur le goulag, sur le totalitarisme, sur l'antisémitisme stalinien, sur le malheur russe et sur la tragédie soviétique, mais il n'y a pas d'autre livre sur la radio de Magadan et sur les larmes de Macha. Grossman a suivi la voie tracée par Tchekhov : il a ancré, il a incarné, il a singularisé le sens au lieu de le laisser rejoindre la totalité en s'affranchissant des visages. C'est, sinon la vengeance, du moins la réponse de la philosophie du roman à l'envoûtante rencontre du théorique et de l'imaginaire que constitue le roman de la philosophie et à la dangereuse ivresse d'aimer ou d'exécrer des êtres abstraits, sans nom ni prénom, qui en découle. Nous n'avons pas besoin de cette réponse pour savoir ce qu'il faut savoir, mais sans cette réponse, sans les larmes de Macha, saurions-nous vraiment ce que nous savons ?

Bibliographie

Vassili GROSSMAN, « Tout passe », traduit du russe par Jacqueline Lafond, in *Œuvres,* Robert Laffont, collection « Bouquins », 2006

—, « Vie et Destin », traduit du russe par Alexis Berelowitch et Anne Coldefy-Faucard, *ibid.*

—, *Pour une juste cause,* traduit du russe par Luba Jurgenson, L'Âge d'Homme, 2000

—, *La paix soit avec vous,* traduit du russe par Nilima Changkakoti, L'Âge d'Homme, 2007

Ilya EHRENBOURG et Vassili GROSSMAN, *Le Livre noir, textes et témoignages*, Actes Sud, 1995

Emmanuel LEVINAS, *Difficile liberté*, Albin Michel, 1976

—, *À l'heure des nations*, Éditions de Minuit, 1988

John and Carol GARRARD, « The Bones of Berditchev, the Life and Fate of Vasily Grossman », The Free Press, 1996

Semion LIPKINE, *Le Destin de Vassili Grossman*, traduit du russe par Alexis Berelowitch, L'Âge d'homme, 1990

Maximilien DE ROBESPIERRE, « Sur les principes de morale politique qui doivent guider la Convention nationale dans l'administration intérieure de la République », in *Pour le bonheur et pour la liberté. Discours*, La Fabrique éditions, 2000.

Paul NIZAN, *Aden Arabie*, Maspero, 1965

Boris PASTERNAK, *Le Docteur Jivago*, Gallimard, 1958

Claude LEFORT, *La Complication. Retour sur le communisme*, Fayard, 1999

Élisabeth DE FONTENAY, *Sans offenser le genre humain. Réflexions sur la cause animale*, Albin Michel, 2008

Milan KUNDERA, *L'Art du roman*, Gallimard, 1986

HÉRACLITE, *Fragments*, PUF, 1986

L'encamaradement des hommes

Lecture d'*Histoire d'un Allemand*, de Sebastian Haffner

Étrange destin que celui d'*Histoire d'un Allemand*. Sebastian Haffner, de son vrai nom Raimund Pretzel, en commence la rédaction dans les premiers mois de 1939, à Cambridge où il s'était exilé l'année précédente. Son travail avance bien – trois parties sont écrites – mais il l'interrompt brutalement le 1ᵉʳ septembre quand l'Angleterre et la France finissent par déclarer la guerre à l'Allemagne. Comme il le confirmera bien plus tard, le moment lui paraît alors trop grave pour des souvenirs personnels, si révélateurs, si symptomatiques soient-ils, et il décide d'écrire un livre de combat qui paraît l'année suivante à Londres sous le titre *Germany, Jekyll and Hyde*. Pretzel choisit alors le pseudonyme de Sebastian Haffner pour ne pas faire courir de risque à sa famille restée en Allemagne. Son essai politique ayant connu un certain retentissement, il entame en Angleterre une brillante carrière de journaliste et d'écrivain qu'il poursuit dans sa patrie après la guerre. Mais le livre de souvenirs reste dans un tiroir. Et c'est son fils Oliver Pretzel qui, après sa mort, en 1999, à l'âge de quatre-vingt-douze ans, ouvre le tiroir et tombe sur ce manuscrit inachevé. Comme *Le Premier Homme* d'Albert Camus, *Histoire d'un Allemand* est une extraordinaire surprise posthume.

Le récit commence tambour battant : « Je vais conter l'histoire d'un duel. C'est un duel entre deux adversaires très inégaux : un État extrêmement puissant, fort, impitoyable – et un petit individu anonyme et inconnu. » Pour relater ce qui lui est arrivé, Sebastian Haffner doit pouvoir le penser, c'est-à-dire l'inscrire dans un schéma narratif préalable. Tout naturellement, il opte pour la catégorie du duel. Mais il se trompe : ce n'est pas la bonne. Son récit dévoile une situation sans précédent qui le contraint à trahir sa promesse initiale. *Histoire d'un Allemand* échappe au paradigme auquel cet Allemand lui-même avait cru pouvoir référer son histoire. Il ne s'agit nullement d'une joute. Haffner n'est pas devant l'État nazi comme David face à Goliath – car, précisément, jamais il n'y a de face-à-face. Cet État est un englobant, non un adversaire. Et l'individu que ses méthodes révulsent n'a pas à qui parler : il ne peut convertir en défi le dégoût qui le submerge. Haffner annonce un récit balzacien. Et il écrit, malgré lui, une chronique kafkaïenne.

En 1933, l'année de l'accession de Hitler au pouvoir, il a vingt-six ans et, terminant les études de droit qu'il a faites à la demande de son père, il est référendaire ; ce qui veut dire qu'il accomplit comme stagiaire à la Cour suprême de Prusse – le Kammergericht – le travail d'un magistrat ou d'un fonctionnaire gouvernemental. Le 31 mars, il se rend, comme tous les jours, au Palais. Hitler est chancelier depuis deux mois, mais c'est *business as usual*. Rien n'indique que la ville s'apprête à vivre des instants d'exception. Les rues sont animées, les tramways circulent, les piétons sont affairés, il y a du monde dans les magasins et le Kammergericht est semblable à lui-même : « Gris, froid et paisible, retranché derrière la rue, derrière un rempart distingué d'arbres et de pelouses. » Des avocats en toge de soie noire traversent, concentrés, les longs couloirs et les vastes allées de cet édifice solitaire. Dans la bibliothèque règne un silence studieux. Rien à signaler donc, tout est normal ; mais soudain tout bascule : « Quel fut le premier bruit nettement perceptible ? Une porte claquée ? Un cri rauque et inarticulé, un commandement ? » Tirés de leur travail par ce remue-ménage encore lointain, les présents tendent l'oreille. Et le silence dans la bibliothèque change aussitôt de nature : à la paix de l'étude succède l'immobilité de la peur. Puis d'autres portes claquent, le vacarme grandit, quelqu'un dit sans élever la voix : « Ils jettent les Juifs dehors », et deux ou trois personnes s'esclaffent. Un huissier confirme sentencieusement la nouvelle, les mêmes rient à nouveau et Haffner s'aperçoit, médusé, que ce sont des référendaires comme lui. Quelques uniformes bruns font ensuite irruption dans la bibliothèque et, mariant la cuistrerie avec la grossièreté, proclament : « Les non-Aryens ont à quitter immédiatement la boutique. » Qu'ils soient juges ou avocats, les Juifs plient leurs affaires et, sans mot dire, s'en vont.

Cent cinquante ans plus tôt, rappelle Haffner, les membres de cette même Cour suprême avaient préféré se laisser enfermer par Frédéric le Grand plutôt que de changer sur son ordre un jugement qu'ils estimaient équitable. Et tous les écoliers prussiens savaient que si, à côté du château de Sans-Souci que le même Frédéric avait fait construire, subsistait encore un moulin à vent, c'était parce que le meunier avait refusé l'offre d'achat du souverain et que, à la menace d'expropriation, il avait répliqué sans se laisser démonter : « Eh oui, sire ! Mais il y a le Kammergericht de Berlin ! » Le 31 mars 1933, une poignée de SA ont conquis en un tournemain cette forteresse séculaire. Le bâtiment était intact mais la violence et les gloussements en avaient fait une coquille vide. Force désormais revenait à la force et non à la loi. Il n'y avait plus, pour aucun meunier, de Kammergericht qui tienne. C'en était fini de l'époque où un sujet pouvait faire plier son monarque. Le pouvoir se dépliait sans retenue : vorace et rigolard, il ouvrait toutes les portes, il abattait tous les murs, il rasait tous les remparts : « Où qu'on se retirât, on se retrouvait placé devant ce que l'on avait voulu fuir. »

C'est par l'introduction progressive de la terreur que les nazis sont arrivés à leurs fins. Haffner cite à plusieurs reprises ce cas exemplaire : un soir à Köpenick, un faubourg de Berlin, une patrouille de SA pénètre chez un responsable syndical ; celui-ci, en état de légitime défense, saisit son fusil et abat deux assaillants. Une seconde patrouille, la même nuit, le maîtrise et le pend, ainsi que ses deux fils, dans la remise de la maison. Mais ces représailles ne sont pas assez frappantes. Le jour suivant, des SA en service commandé reviennent à Köpenick et abattent, l'un après l'autre, tous les habitants connus pour être des sociaux-démocrates. Cette action produit d'autant plus d'effet qu'elle n'est pas exposée dans la presse, mais colportée par la rumeur. Déjà la brume de *Nacht und Nebel* recouvre l'actualité et redouble l'épouvante. Mais malgré l'impact de leurs exécutions nocturnes et malgré l'intensité de leur propagande, les nazis n'obtiennent pas la majorité absolue aux élections de mars 1933. Le NSDAP recueille 44 % des suffrages. Il n'est pas vrai, autrement dit, que la démocratie ait porté Hitler au pouvoir. Un autre événement a eu lieu, plus énigmatique que l'adhésion pleine et entière mise en avant par notre mémoire imprécise : les chefs des partis d'opposition ont abandonné le combat, tous ensemble et d'un seul coup. Le 5 mars, les nazis étaient minoritaires, le 6, ils triomphaient. Le Troisième Reich est né, dit Haffner, de la trahison de ses adversaires : une trahison « totale, générale et sans exception, de la gauche à la droite ». Les communistes eux-mêmes, dont les nazis entretenaient la crainte pour justifier leurs propres forfaits, ont massivement failli : « Il n'y avait rien derrière leur poing brandi. » Privés de chefs, désemparés, des centaines de milliers de gens ont alors suivi le mouvement et se sont ralliés à Hitler : « La croix gammée n'a pas été imprimée dans la masse allemande comme dans une matière récalcitrante mais ferme et compacte. Elle l'a été comme dans une substance amorphe, élastique et pâteuse. »

Une nouvelle fois, la mémoire est prise à contre-pied. Elle associait spontanément germanité et rigidité. La voici confrontée à la plasticité de l'Allemagne. Selon Haffner, le nazisme révèle moins tant l'inflexible dureté d'une société autoritaire que l'inconsistance et la malléabilité d'une nation sans caractère. Au lieu d'incriminer comme tout le monde aujourd'hui les excès et les méfaits de la discipline, il découvre avec effroi une espèce de gelatine. Ce qui caractérise les Allemands, en vient-il même à écrire en 1939, « c'est l'absence totale de ce qu'on nomme, chez un peuple comme chez un individu, de la "race" : à savoir un noyau dur, que les pressions et les tiraillements extérieurs ne parviennent pas à ébranler, une forme de noble fermeté, une réserve de fierté, de force d'âme, d'assurance, de dignité, cachée au plus intime de l'être et que l'on ne peut, précisément, mobiliser qu'à l'heure de l'épreuve ».

À la première lecture de ce passage, on sursaute et on se frotte les yeux : accuser un peuple en proie au délire raciste de manquer de race, quelle inconséquence ! Si, comme le souligne Haffner lui-même avec une prescience admirable, la révolution hitlérienne n'a pas été dirigée « contre un quelconque régime mais contre les bases mêmes de la cohabitation des hommes sur terre », n'est-ce pas justement parce que ses instigateurs ont érigé la race en norme suprême de leur politique intérieure comme de leur politique étrangère ? Et puis, pour peu qu'on prenne le temps de la réflexion, l'étau du présent se desserre et le mot *race* retrouve ses harmoniques anciennes. Depuis l'apocalypse hitlérienne, il n'y a de race que pour les racistes, qui, au demeurant, évitent eux-mêmes de recourir à ce vocable maudit. Dans les années trente, le racisme est encore trop jeune, trop neuf pour prétendre monopoliser une notion aussi ancienne et vénérable. Quand Haffner parle de race, il n'a pas besoin de préciser que ce n'est pas dans l'acception scientiste du terme, mais au sens légué par la morale aristocratique à la civilisation moderne. La race s'atteste chez l'homme qui ne cède pas aux emballements versatiles de l'instinct grégaire, qui ne se laisse pas dicter sa conduite par les seuls calculs de l'intérêt et *qui se tient droit* car l'origine agit sur lui non comme un pouvoir ou comme un privilège mais comme une obligation. Noblesse *oblige*. « Je rendrai mon sang pur comme je l'ai reçu » : Péguy cite tout naturellement Corneille pour justifier et revendiquer face au racisme naissant la persévérance du dreyfusisme. Et, en 1945, M. Germain, l'instituteur de Camus qui s'était engagé de nouveau « pas pour la guerre mais contre Hitler », dit à son ancien élève : « Toi aussi, petit, tu t'es battu ; Oh, je savais que tu étais de la bonne race ! »

Il y a donc bien deux acceptions différentes du mot race. Différentes et même contradictoires : ce qui attirait les masses dans le racisme hitlérien, c'était la perspective d'être déchargé du fardeau de la race au sens de Haffner, de Péguy ou de M. Germain. La race selon Hitler n'est plus une exigence, c'est un attribut. Ce n'est plus une obligation, c'est un blanc-seing. En elle l'idéal se confond avec le réel : toute distance est résorbée et toute honte, bue. Un nouveau *Dasein* surgit, compact, monolithique, indivisible, soustrait aux affres de la droiture. La race bouche les trous par où la culpabilité, le scrupule ou la simple bienséance pourraient s'engouffrer. En décembre 1939, trois mois après l'invasion de la Pologne, le Dr Fritz Cuhorst, maire de la ville de Lublin, écrivait : « Lors d'une réunion de service, samedi dernier, nous avons décidé de nous comporter désormais exactement à l'inverse de ce que nous faisons en Allemagne en tant que fonctionnaires, c'est-à-dire comme des cochons. Plus question de saluer un seul Polonais. Il va de soi que c'est moi qui passe la porte le premier, même s'il y a là une femme polonaise. »

S'appuyant sur la différence de signification entre les mots latins qui désignent le même – *idem* et *ipse* –, Paul Ricœur distingue deux grandes modalités de l'identité, personnelle ou collective : la permanence du tempérament (*idem*) et le maintien de soi (*ipse*). « Noyau dur », « réserve de fierté », « noble fermeté », résolution d'être à la hauteur, fidélité sans compromis à des principes dont on est non l'inventeur mais le dépositaire, la race haffnerienne est une forme d'ipséité : on ne peut pas compter seulement sur ses dispositions physiques ou psychologiques pour rester le même et tenir bon au moment de l'épreuve. Quand les nazis, en revanche, invoquent les ancêtres, ce n'est pas pour mettre leur être en demeure de se maintenir, c'est pour lui permettre de s'étaler, de prendre ses aises. Leur appartenance à la race des Seigneurs les dispense de toute noblesse et même de toute conscience morale. Leur identité leur est donnée, ils n'ont rien à faire pour la mériter et elle ne se distingue pas de leur force vitale. *Ipse* est rabattu sur *idem*, le soi-même n'est plus rien d'autre que l'expansion du même. Se définissant non par ce qu'elle se doit mais par ce à quoi elle s'oppose, l'identité ainsi conçue mène une double guerre contre tout ce qui n'est pas aryen d'une part et, d'autre part, contre tout ce qui n'est pas jeune, c'est-à-dire naturel, ardent, effréné, élémentaire. Guerre de races, disent ses instigateurs. Mais cette appellation est contestable. Et elle ne va pas plus de soi pour Gottfried Benn, une fois revenu de son engagement initial en faveur de l'État nouveau, que pour Sebastian Haffner. Voici ce que le poète dégrisé dit des hauts dignitaires du Troisième Reich, dans un texte de 1943 : « Aucun ne se sent tenu par quelque tradition, par quelque lignage de nature familiale ou intellectuelle, quelque noblesse d'attitude héréditaire, un patrimoine – mais tout ça, ils l'appellent *race*. »

Dans sa généalogie de cet abandon et de ce déracinement, Haffner attribue une importance cruciale à l'année 1923. L'Allemagne alors a été plongée dans une crise sans précédent et sans équivalent. Le Mark se dévaluait et entraînait dans sa chute vertigineuse les règles, les cadres et les hiérarchies de la civilisation. C'était le monde renversé : « Les vieillards et les rêveurs étaient les plus mal lotis. Beaucoup furent réduits à la mendicité, beaucoup acculés au suicide. Les jeunes et les petits malins se portaient bien. D'un jour à l'autre, ils se retrouvaient libres, riches, indépendants. La conjoncture affamait et punissait de mort les esprits lents et ceux qui se fiaient à leur expérience, et récompensait d'une fortune subite la rapidité et l'impulsivité. Les vedettes du jour étaient des banquiers de vingt et un ans, et des lycéens qui suivaient les conseils financiers de camarades un peu plus âgés. »

Cours, adolescent, le vieux monde est derrière toi ! « Toute une génération a appris – ou cru apprendre – qu'on peut vivre sans lest. » Cette enivrante leçon n'a pas été oubliée. Ce qui a eu lieu d'abord comme « saturnales extravagantes » s'est reproduit, dix ans plus tard, sous forme de révolution. Ce sont des hommes jeunes, formés à l'école du nihilisme, avides d'illimité, réfractaires à l'ordre bourgeois qu'ils ne désignaient plus que du nom de « système », qui ont saisi leur chance et pris le pouvoir en Allemagne. En 1933, Heydrich avait vingt-huit ans, Speer vingt-sept, Eichmann vingt-six, Mengele vingt et un, Goering, l'un des plus âgés, venait de fêter ses quarante ans. « Pour la majorité des jeunes Allemands, écrit l'historien Götz Aly, le national-socialisme n'était pas synonyme de dictature, d'oppression ou d'interdiction d'expression, mais de liberté et d'aventure. Ils y voyaient un prolongement de mouvement de jeunesse et un programme d'anti-vieillissement pour le corps comme pour l'esprit [...]. Ils se considéraient comme l'avant-garde d'un "peuple jeune". Ils jugeaient leurs aînés que l'expérience avait rendus sceptiques "bons pour le cimetière", et traitaient la vieille garde des fonctionnaires, attachée à certains principes, de "messieurs aux pantalons tachés par l'incontinence". »

Parmi ces fonctionnaires chevronnés et consciencieux, il y avait le père de Sebastian Haffner. À ceux qui, lors de la grande banqueroute de 1923, l'incitaient à faire comme tout le monde et à spéculer, ce pur produit du puritanisme prussien opposait une fin de non-recevoir noble et banale : « Ce qu'il ne faut pas faire, disait-il, on ne le fait pas. » Et il n'en restait pas à ce truisme inébranlable. Comme il aimait passionnément la littérature, qu'il nouait de longues conversations silencieuses avec Dickens et Thackeray, Balzac et Hugo, Tourgueniev et Tolstoï, il savait, dans ses ordonnances administratives, tempérer de bienveillance et de prudence, bref de *sagesse* pratique, la rigueur que la *raison* pratique kantienne lui avait enseignée.

En 1933, le père de Haffner était à la retraite. Un jour, il reçut une lettre officielle qui contenait un questionnaire circonstancié : il devait préciser à quelles organisations, partis, associations ou syndicats il avait appartenu et certifier, pour finir, qu'il adhérait « sans restriction » au grand mouvement de réveil national. S'il ne remplissait pas le questionnaire, il perdrait le droit à toute pension de l'État qu'il avait servi avec abnégation pendant quarante-cinq années de son existence. Après de longues journées de prostration silencieuse, il fit ce qui lui était demandé. Mais il n'était pas tout d'une pièce, il n'était pas l'Aryen, cet être sans fissure dont les nazis chantaient les louanges. Il était un homme, c'est-à-dire deux en un. Et son corps fut le théâtre de cette division. Chez cet être qui avait toujours voulu exercer un contrôle sévère sur ses émotions, un organe, comme l'écrit magnifiquement Haffner, *se chargea du fardeau de son âme*. À peine s'était-il réinstallé à son bureau qu'il se leva brusquement, en proie à des vomissements spasmodiques. Pendant deux ou trois jours, il ne put ni avaler ni garder quoi que ce fût. Son corps entamait une grève de la faim dont il mourut deux ans plus tard, d'une mort terrible et lamentable.

Le vocable « aryen » n'avait pas plus de sens pour Raimund Pretzel que pour son père. Certes, lors de la descente des uniformes bruns au Kammergericht, la question : « Êtes-vous aryen ? » lui avait été posée. Et, pris de court, il avait répondu : oui. Mais comme il n'accordait pas le moindre crédit à cette appellation, le rouge lui monta aux joues ; il eut honte. Que pouvait-il faire cependant quand les uns s'identifiaient au mouvement jeune, viril et dynamique qui renversait le vieux monde, et quand, pour les autres, c'était encore et toujours *business as usual*. Nous n'avons jamais été aryens, mais nous sommes modernes et, chez les modernes, observe Haffner, ce n'est pas, comme chez les Grecs, l'homme public qui prend le relais de l'homme privé quand il sort de sa maison, c'est, livré pieds et poings liés à sa profession et à son emploi du temps, le travailleur. En lui, l'assiduité remplace la race et se superpose à la brutalité au lieu de la combattre. Face à cette étrange cohabitation du déchaînement de la vie élémentaire et de la poursuite machinale de la vie courante, l'Allemand non nazi est seul, impuissant, désarmé. Le duel ne peut avoir lieu. Il ravale donc sa répugnance. Il se tait, et quand il parle, il ment, il joue, le plus laconiquement possible, un rôle. Jusqu'au jour où, sans crier gare, l'abjection pénètre dans la place et contamine le dégoûté à son corps défendant.

Inscrit à l'assessorat, le dernier examen qui couronne en Allemagne les études juridiques et qui donne accès à la magistrature ou aux carrières de la fonction publique, il découvre, en ouvrant le journal, cette initiative du nouveau régime : les référendaires, une fois terminés leurs travaux personnels et avant l'épreuve finale, seront rassemblés pendant plusieurs mois dans un camp où une saine vie communautaire, la pratique des sports de combat et une éducation idéologique leur donneront la formation humaine dont ils ont besoin pour la tâche idéologique qui les attend. Décidément, Hitler veille sur chacun de ses faits et gestes. L'État s'insinue partout. L'immonde révolution ne relâche jamais son emprise. Sous le choc de cette nouvelle, Pretzel, qui jusque-là avait fait bonne figure, est saisi d'un accès de rage. Et, ne pouvant dire son fait à l'Ennemi, il martèle le mur de ses poings, il sanglote, il crie, il maudit Dieu, le monde, son père, le Reich et lui-même... Mais, le jour venu, il se rend à Jüterborg, ville de garnison du sud de la Marche de Brandebourg.

Il doit faire de longues marches, revêtu de l'uniforme à croix gammée. Cela lui fait horreur mais, première surprise, la propagande ne semble pas à l'ordre du jour. Un soir, leur chef les réunit pour une conférence. Pretzel se prépare au pire et il hésite à confier son inquiétude : tous les référendaires se regardent en chiens de faïence car personne ne sait ce que les autres pensent. Mais le pire n'arrive pas. Le conférencier ne célèbre pas plus le charisme de Hitler qu'il ne stigmatise les Juifs, le système ou le honteux traité de Versailles. Il ne hurle pas de slogans, il ne lance pas d'insultes, il raconte à son auditoire subjugué la bataille de la Marne. Du fait même de sa précision, de sa sobriété, de son absence de tout pathos, ce récit ranime le sentiment que l'Allemagne a manqué d'un cheveu une victoire rapide et glorieuse. Et voici les référendaires qui, une heure auparavant, se méfiaient silencieusement les uns des autres, lancés dans une discussion passionnée sur les perspectives d'une prochaine guerre et sur les moyens de s'y prendre mieux. À la suspicion séparatrice succède l'union sacrée de la frustration et de l'enthousiasme.

Il est vrai que, dans son enfance, cette génération, comme l'écrit, au début de son livre, l'auteur d'*Histoire d'un Allemand*, a été captivée par la guerre et qu'elle a connu là des émotions plus puissantes que les petits frissons des divertissements ordinaires. Inoubliable ferveur des commencements : « Ce n'est pas l'expérience des tranchées qui a nourri le bellicisme du Troisième Reich, c'est la guerre telle que l'ont vécue les écoliers allemands. » Et à Jüterborg, l'anti-nazi Pretzel lui-même redevient à son insu un de ces écoliers impatients d'en découdre.

Il est aussi un *camarade* ou, pour être plus précis, il connaît l'étrange et envoûtant bonheur d'une annihilation de sa personne dans la promiscuité de la vie militaire. Il y a un bonheur, en effet, à être délivré par la règle du « tous pour un, un pour tous » de la loi impitoyable du « chacun pour soi ». Il y a un bonheur à se fondre dans la masse, « à se laisser porter par un grand fleuve tranquille de confiance et de rude familiarité », à ne plus avoir à décider du bien et du mal ou du mal et du moindre mal, ou du bien essentiel et du bien secondaire, à ne plus répondre de ses actes devant un juge intérieur et à faire ce que font les camarades parce que le juge, désormais, c'est eux. Il y a un bonheur à être dépouillé non du droit d'expression mais de la pénible tâche de penser par « les schémas collectifs de l'espèce la plus triviale ». Il y a un bonheur enfin à se défaire du carcan des conventions et des manières en disant « Merde ! » pour exprimer sa désapprobation et « Salut, bande de cons ! » en guise d'apostrophe amicale. La camaraderie est un baume aux tourments du soi. À rebours de l'oppression ou de la domination totalitaire, elle s'offre aux hommes comme une irrésistible dispense d'humanité. Elle n'écrase pas, elle allège. Elle n'enjoint pas, elle délivre. Et contre ceux qui peuvent être tentés de trahir le groupe et de cultiver en secret, à l'écart, l'image de l'être aimé par exemple, elle possède une arme fatale : le rire. Chaque soir, dans les chambrées, on sacrifie au grand rite des blagues obscènes et on tue ainsi dans l'œuf toute velléité d'exister autrement que par la mise en commun du plus petit dénominateur.

À Jüterborg, Raimund Pretzel ne s'est pas, comme il s'y attendait, heurté à l'État, il s'est enfoncé dans un magma. Ce n'est pas l'*uniforme* qui a été sa perte, c'est l'*informe*; ce n'est pas le règlement, c'est la récréation; ce n'est pas la contrainte, c'est le chahut; ce n'est pas l'ordre disciplinaire, ce sont les vannes de dortoir. Quelques mois plus tôt, dans un cabaret de Berlin, il avait été ému aux larmes par un chansonnier qui n'était «pas un acteur révolutionnaire, pas un railleur mordant, pas un David armé de sa fronde», mais qui avait incarné devant lui la délicatesse de l'humour et sa légèreté dansante. Et, après avoir enregistré avec une colère et une aversion muettes les gloussements qui avaient accompagné l'expulsion des Juifs du Kammergericht, après avoir vu, horrifié, la radicalité hitlérienne transformer certains de ses amis proches en défenseurs souriants de la tuerie de Köpenick, il a lui-même perdu pied et plongé avec délice dans le bourbier de la fraternité hilare.

Mais le substantif ne suffit pas à Sebastian Haffner pour désigner cette action insidieuse qui joue sur les deux registres du *défoulement* et du *mimétisme* et qui, en un sens, est pire que la servitude : il lui faut un verbe. Nous avons, dit-il, été *encamaradés*. Nous avons été laissés libre de nous avachir, de nous abaisser, de nous délier de tous les préceptes de la civilisation comme le dit le Dr Cuhorst, et, en même temps, nous avons été soumis sans échappatoire possible à l'implacable autorité de cette autorisation. La camaraderie est totalitaire en ceci qu'elle occupe toutes les instances, tous les bastions de l'appareil psychique : les pulsions sont encamaradées, le moi est encamaradé, le surmoi est encamaradé. On n'a plus honte de rien sauf de la honte qu'on pourrait éprouver à ne pas se laisser aller comme tout le monde et à suivre, quand il vous est ordonné d'être barbare, le droit chemin. On est tout ensemble relâché et sous pression, intempérant et obéissant, libéré du joug de la moralité et enchaîné à une nouvelle norme sociale. Bref, l'instinct grégaire se déchaîne en même temps que la force vitale et c'est, plus encore que l'*embrigadement* doctrinal, l'amalgame inquiétant de ces deux états qui a *embringué* la grande majorité de la jeunesse allemande dans l'apocalypse hitlérienne. Tribalité du mal.

Pour Raimund Pretzel, le charme de la désindividualisation s'est dissipé quand il a quitté Jüterborg. Il a pu alors laisser derrière lui son pays encamaradé et concrétiser ses retrouvailles avec la culture en choisissant le prénom du plus grand musicien allemand et le nom du dédicataire d'une sonate de Mozart.

Le nazisme est mort et il ne reviendra plus en dépit des vigilants efforts de ceux qui ont connu la grâce d'une naissance tardive et qui rêvent d'affronter le monstre pour faire voir de quel bois résistant ils se chauffent. Mais le livre de Sebastian Haffner est bien davantage qu'un témoignage de première grandeur sur un passé qui n'a pas fini de nous abasourdir. Avec l'encamarademente, Haffner a mis au jour un territoire très fréquenté de l'existence, une possibilité présente et bien vivante du monde humain. Nous savons de quoi il retourne. Nous avons tous, à un moment ou à un autre, cédé à son attraction. Et il faudrait être sourd pour ne pas entendre déferler aujourd'hui son grand rire avilissant et fusionnel.

Bibliographie

Sebastian HAFFNER, *Histoire d'un Allemand. Souvenirs (1914-1933)*, traduit de l'allemand par Brigitte
Hébert, Actes Sud, 2003

Albert CAMUS, *Le Premier Homme*, Gallimard, 1994

Götz ALY, *Comment Hitler a acheté les Allemands*,
traduit de l'allemand par Marie Gravey, Flamma-
rion, 2005

Paul RICŒUR, *Soi-même comme un autre*, Éditions
du Seuil, 1990

Charles PÉGUY, « Notre jeunesse », in *Œuvres en
prose complètes*, tome III, « Bibliothèque de la
Pléiade », Gallimard, 1992

Harald WELZER, *Les Exécuteurs. Des hommes nor-
maux aux meurtriers de masse*, traduit de l'allemand par Bernard Lortholary, Gallimard, 2007

Gottfried BENN, *Un poète et le monde*, traduit de
l'allemand par Robert Rovini, Gallimard, 1965

« Voici les miens, mes maîtres, ma lignée... »

Lecture du *Premier Homme*, d'Albert Camus

Le 4 janvier 1960, Camus meurt dans un accident de voiture à Villeblevin, près de Montereau dans l'Yonne. Il avait quarante-sept ans. Sartre, sous le choc, écrit : « Nous étions brouillés, lui et moi. Une brouille, ce n'est rien – dût-on ne jamais se revoir – tout juste une autre manière de vivre *ensemble* et sans se perdre de vue dans le petit monde étroit qui nous est donné. Cela ne m'empêchait pas de penser à lui, de sentir son regard sur la page du livre, sur le journal qu'il lisait et de me dire : "Qu'en dit-il ? Qu'en dit-il *en ce moment ?*" »

Ces quelques lignes constituent la plus bouleversante des oraisons funèbres. Sartre, en effet, ne choisit pas de faire l'éloge du défunt en jetant le voile sur leur querelle passée ou en évoquant les beaux moments antérieurs à la rupture. Il présente la rupture comme un chapitre de la relation, comme une modalité de son attachement, et, avec une douceur inattendue sous sa plume, il divulgue la place que l'ami réprouvé continuait d'occuper dans son for intérieur. La conscience progressiste du siècle laisse ainsi entendre que le cœur a ses raisons que la Raison historique ignore. Huit ans auparavant, celle-ci avait pourtant rendu un verdict implacable et retentissant.

Rappelons les faits. En novembre 1951, en pleine guerre froide, Camus publie *L'Homme révolté*. Comme la plupart de ses contemporains, il part d'une définition *épique* et non *prosaïque* de l'engagement politique. Ce qui s'impose, en effet, à l'esprit de ce temps marqué et tourmenté plus qu'aucun autre par les affres de la violence, ce n'est pas la sagesse de Périclès, c'est l'expérience de Spartacus, ce n'est pas le goût de la chose publique, le souci du monde, le besoin et le bonheur d'échapper, par la pratique des affaires communes, à l'engluement dans les tracas du quotidien ou à la futilité de l'amour du bien-être ; c'est, en premier lieu, le refus de l'intolérable. L'homme accède à la dimension politique de l'existence en se redressant et en faisant volte-face. Il marchait courbé et, soudain, il se tient droit. Au commencement est le soulèvement : « Un esclave qui a reçu des ordres toute sa vie juge soudain inacceptable un nouveau commandement. » Et l'ouverture à l'humanité naît de cette sécession originelle. La solidarité active est engendrée par le sentiment de la dignité blessée ou par le spectacle de l'oppression dont un autre est victime. Camus ne dit pas : nous formons une communauté, une cité, une patrie dont le destin me concerne. En parfaite symbiose avec le pathos caractéristique du siècle des situations extrêmes, il affirme : « Je me révolte donc nous sommes. » Individuelle dans son essence, la révolte remet pourtant en question la notion même d'individu : « C'est pour toutes les existences en même temps que l'esclave se dresse lorsqu'il juge que, par tel ordre, quelque chose en lui est nié... » Par le simple fait d'assigner une limite à l'oppression, la révolte affirme « la dignité commune à tous les hommes ». Elle met au premier rang de ses références « une texture commune, la solidarité de la chaîne, une communication d'être à être qui rend les hommes ressemblants et ligués ». Bref, et pour le dire d'un mot devenu anachronique, l'homme jeté hors de ses gonds par l'inhumanité découvre l'existence d'une *nature humaine* : « Pourquoi se révolter s'il n'y a, en soi, rien de permanent à préserver ? »

Mais, dit Camus – et c'est tout le sens polémique de son livre –, la passion révolutionnaire s'est acharnée contre cette double révélation, par la révolte, de la limite et de la nature. Pour assurer la victoire de l'esclave insurgé, elle a enjambé sans vergogne la frontière que celui-ci avait voulu tracer. Résultat : elle a constitué le crime en moyen d'action légitime et même en mode de gouvernement. Au nom de la Révolte, la Terreur s'est installée et Staline a mis Spartacus dans un camp de concentration. Avec ce diagnostic, Camus, qui avait pourtant si bien commencé, réussit le prodige de mécontenter aussi bien les communistes fidèles que les progressistes antistaliniens, c'est-à-dire (presque) toute l'intelligentsia française d'après-guerre. Ceux qui s'accusent mutuellement de trahir la promesse d'émancipation mutuelle se rejoignent pour accuser Camus de confondre la liberté avec son carcan en associant scandaleusement le mot tout feu tout flamme de révolte et ces grands éteignoirs idéologiques : la limite, la nature et, pire encore, la mesure. « La mesure, ose-t-il prétendre, n'est pas le contraire de la révolte. C'est la révolte qui est la mesure, qui l'ordonne, la défend et la recrée à travers l'histoire et ses désordres. »

André Breton, le premier, lance la foudre : « Qu'est-ce que ce fantôme de révolte que Camus s'efforce d'accréditer et derrière quoi il s'abrite ? Une révolte dans laquelle on aurait introduit la mesure, une révolte vidée de son contenu passionnel, que voulez-vous qu'il en reste ? Je ne doute pas que beaucoup se laissent piper à cet artifice : on a gardé le mot et supprimé la chose. » Associer révolte et mesure, c'est affubler Rimbaud d'une bedaine et mettre un bonnet de nuit à Lautréamont. Le pape iconoclaste du surréalisme proteste contre ce sacrilège.

Aux *Temps modernes*, on est plus politique mais on n'est pas moins courroucé. Après deux mois de silence, la revue de Sartre publie, sous la signature de Francis Jeanson, un compte rendu assassin dont le titre dit tout : « Albert Camus ou l'âme révoltée ». Âme : dans l'univers de part en part historique, c'est-à-dire transformable, où se meut la pensée engagée, ce mot n'est plus employé avec déférence, il fait sourire. L'âme belle des Anciens qui se libérait de sa gangue charnelle pour accéder au ciel des Formes pures ou pour voir les choses dans la perspective de l'universalité, est devenue la *belle âme*, éprise d'elle-même, vivant, comme dit Hegel, dans l'angoisse de souiller la splendeur de son inté- riorité par l'action et fuyant pour le monde illusoire des valeurs éternelles la dure vérité du monde réel. Cette fuite, ajoute Jeanson, dans le sillage non plus seulement de Hegel mais de Marx, est mensongère. Impossible de déroger à la matérialité de l'histoire, c'est-à-dire de la division du travail. L'au-delà est une chimère, et le quant-à-soi aussi. La séparation de la belle âme n'est pas moins spécieuse que son élévation. Nul ne s'envole, nul ne s'évade, nul ne s'isole, nul ne fait retraite loin des combats. La fuite est une autre manière d'être là. S'abstenir, c'est participer encore. Il n'y a pas d'âme qui tienne, pas de tour d'ivoire à l'horizon : toutes les subjectivités restent plaquées au sol et, quoi qu'elles fassent, choisissent leur camp : « En prétendant modérer l'histoire, et en n'y saisissant "la démesure" que sous sa forme révolutionnaire, le révolté ne se rendra-t-il pas complice, bon gré mal gré, de cette autre frénésie, de sens inverse, dont la suppression constitue le but même et le plus véritable sens de l'entreprise révolutionnaire ? À nos regards incorrigiblement bourgeois, il est bien possible que le capitalisme offre un visage moins "convulsé" que le stalinisme : mais quel visage offre-t-il aux mineurs de fond, aux fonctionnaires sanctionnés pour fait de grève, aux Malgaches torturés par la police, aux Vietnamiens "nettoyés" au napalm, aux Tunisiens "ratissés" par la Légion ? »

L'âme révoltée, autrement dit, est un homme satisfait. Son « non » emphatique au mal est un « oui » tacite au *statu quo*. Sa dénonciation unilatérale de la terreur révolutionnaire manifeste sa terreur de la révolution. Sa tonitruante volonté de ne pas subir accouche d'une lénifiante « morale de Croix-Rouge ». Son allégeance à l'idée de nature humaine révèle son conservatisme et son éloge de la mesure, sa pusillanimité. Sous couleur de refuser l'Histoire, il consent à l'injustice et il témoigne de son statut historique de privilégié. Bourgeois, vous dis-je !

Un mois plus tard, Camus répond dans les *Temps modernes* à l'attaque de Jeanson et il dit sa lassitude de recevoir sans trêve des leçons d'efficacité de la part de « censeurs qui n'ont jamais placé que leur fauteuil dans le sens de l'Histoire. » Et la réponse de l'Homme révolté est adressée à « M. le Directeur ». Ce procédé exaspère Sartre. Cette appellation le stupéfie – lui et Camus se connaissent et se fréquentent depuis dix ans. Et, *last but not least*, la formule utilisée par Camus lui rappelle cette journée de la Libération de Paris où, chargé avec d'autres membres du Comité national du théâtre de protéger la Comédie-

Française d'éventuels sabotages allemands, il s'était endormi dans un fauteuil. Camus l'avait surpris et réveillé par ces mots qui n'étaient alors que taquins : « Tu as mis ton fauteuil dans le sens de l'histoire. » Sartre décide donc de prendre la plume à son tour et alors que, par égard pour Camus, il avait souhaité voir paraître dans la revue un article plus modéré, moins féroce que celui de Jeanson, il choisit, cette fois, de ne plus retenir ses coups. « Mon cher Camus, écrit-il, notre amitié n'était pas facile, mais je la regretterai. Si vous la rompez aujourd'hui, c'est sans doute qu'elle devait se rompre. » Et, fort de ce constat, Sartre s'applique à creuser l'abîme. Le regret, sitôt exprimé, laisse place à un double et implacable réquisitoire. L'agrégé démolit sans pitié la copie de l'Algérois. Il le saque pour « incompétence philosophique », « pensées vagues et banales », « idées faibles, obscures et brouillées », « connaissances ramassées à la hâte et de seconde main ». Le défenseur des opprimés lui reproche vertement de donner bonne conscience aux oppresseurs. La caméra sartrienne filme Camus en plongée et en contre-plongée. Vu d'en haut, il est indigent : « J'aurai au moins ceci de commun avec Hegel que vous ne nous aurez lus ni l'un ni l'autre » ; vu d'en bas, il est détestable car il fournit à « celui des deux camps qui se tient sur la défensive idéologique (c'est-à-dire dont la culture agonise) des arguments propres à décourager l'autre ». Bref, Camus est deux fois fautif. En faisant de l'idée d'une nature commune à tous les hommes la révélation dont la révolte est porteuse, il cumule le péché de nullité avec celui d'iniquité, il trahit d'un seul tenant sa faiblesse intellectuelle et l'idéal égalitaire, il pense mal et il prend le parti des Puissants, c'est-à-dire du Mal.

Ainsi pour Sartre comme pour Breton, comme pour Bourdieu qui, quinze ans après la mort de Camus, et dans un ouvrage d'apparence scientifique sur les stratégies du snobisme culturel, qualifiait haineusement *L'Homme révolté* de « bréviaire de philosophie édifiante sans autre unité que le vague-à-l'âme égotiste qui sied aux adolescences hypokhâgneuses et qui assure à tout coup une réputation de belle âme », le grand tort de ce livre impardonnable est d'avoir diffamé la révolte sous couleur de la défendre. Ce que la révolte découvre aux exploités, selon Sartre, ce n'est pas une texture commune, c'est la profondeur d'une déchirure irréparable. Rien, ni le soleil ni la mort, n'échappe au règne de l'inégalité. Nous sommes tous mortels, c'est vrai, et le même astre éclaire nos journées, mais ce sont les bourgeois qui ont le loisir de s'extasier sur son coucher et ce qu'on appelle la condition humaine n'est jamais qu'un leurre destiné à masquer la dissemblance des conditions sociales : « Un enfant mourait, vous accusiez l'absurdité du monde et ce Dieu sourd et aveugle que vous aviez créé pour pouvoir lui cracher à la face ; mais le père de l'enfant, s'il était chômeur ou manœuvre, accusait les hommes : il savait que l'absurdité de notre condition n'est pas la même à Passy et à Billancourt. »

On comprend maintenant pourquoi Sartre, en 1952, se résigne si facilement, si allègrement à la rupture avec Camus. La brouille lui est légère, car il n'y a pas de place dans sa vision du monde pour la relation amicale. Qu'est-ce qui fait le prix de l'amitié ? La conversation. Et qu'est-ce que converser ? C'est, nous dit Montaigne, entrer en dispute pour la cause de la vérité qui est la cause commune. Dans cette dispute, ce n'est pas la victoire qui importe, c'est la qualité de l'échange et c'est le progrès dans la connaissance des choses de la vie : « J'aime une société et familiarité forte et virile, une amitié qui se flatte en l'âpreté et vigueur de son commerce [...]. Elle n'est pas assez vigoureuse et généreuse, si elle n'est querelleuse, si elle est civilisée et artiste, si elle craint le heurt et a ses allures contraintes. » Mais Sartre a tiré le tapis de la cause commune. Le monde se présente à lui scindé en deux forces irréconci-

liables. Il constate l'omniprésence de l'Antagonisme. Pour lui, comme pour les sectionnaires de
1793, «il n'y a que des frères ou des ennemis».
L'ami, le seul ami possible, dès lors, c'est le
camarade de combat : « Celui qui adhère aux fins
des hommes concrets, il lui sera imposé de choisir ses amis, car on ne peut, dans une société
déchirée par la guerre civile, ni assumer les fins
de tous, ni les refuser toutes en même temps.
Mais du moment qu'il choisit, tout prend un
sens : il sait pourquoi les ennemis résistent et
pourquoi il se bat. » Imbue de ce terrible savoir,
l'écriture sartrienne rompt avec la grande tradition délibérative de la conversation même polémique et s'assigne une mission *critique*, au sens
redoutablement tranchant que Marx a donné à
ce terme quand il a déclaré la guerre à l'état des
choses allemand : « En lutte contre cet état des
choses, la critique n'est pas une passion de la
tête ; elle est la tête de la passion. Elle n'est pas un
scalpel anatomique, mais une arme. Son objet est
son *ennemi*, qu'elle veut non pas réfuter, mais
anéantir. [...] Son pathétique, c'est essentiellement l'*indignation* ; sa tâche est essentiellement
la *dénonciation*. »
   Au sortir de la Résistance, Camus était
« l'admirable conjonction d'une personne, d'une

action et d'une œuvre ». Maintenant qu'il s'agit non de sauver la civilisation mais de changer le monde, il n'est plus, aux yeux de Sartre, qu'un nanti sentencieux et poseur. Sus à l'homme infatué ! À bas le porte-parole des classes dominantes ! Et Sartre ne tiendra pas la promesse sur laquelle se clôt sa réponse incendiaire : « J'ai dit ce que vous avez été pour moi et ce que vous êtes à présent. Mais quoi que vous puissiez dire ou faire en retour, je me refuse à vous combattre. »

« Il ne l'a pas volé ! » s'exclame Sartre le 16 octobre 1957, en apprenant que le prix Nobel de Littérature vient d'être décerné à Camus. Et quand, à Stockholm, pressé de questions sur la guerre d'Algérie, Camus déclare : « J'aime la justice, mais je défendrai ma mère avant la justice », Sartre pense, avec Simone de Beauvoir, qu'il se range sentimentalement du côté des pieds-noirs, c'est-à-dire de l'oppression. En 1966 encore, c'est Camus encore qui lui inspire son portrait du *faux intellectuel*. Il ne nomme personne, c'est vrai, mais en disant que pendant la guerre d'Algérie condamner la violence d'où qu'elle vînt et proclamer *urbi et orbi* : « Je ne veux être ni bourreau ni victime », c'était contribuer à éloigner les colonisés de la révolte et prendre implicitement parti pour la violence chronique que les colons exerçaient sur eux, il désigne sans aucune ambiguïté l'ancien lauréat du Nobel. L'homme de la radicalité croise encore le fer avec l'homme de la mesure, plus d'une décennie après l'avoir *exécuté* dans *Les Temps modernes* et six ans après lui avoir rendu un dernier hommage : « Tous ceux qui prennent *dès aujourd'hui* le point de vue universaliste *rassurent* : l'universel est fait de faux intellectuels. L'intellectuel vrai – c'est-à-dire celui qui se saisit dans le malaise comme un monstre – inquiète : l'universel humain est *à faire*. »

Que faut-il alors penser de cet adieu à Camus dont la noblesse a tant frappé Jean Daniel qu'il a demandé à Sartre de parrainer *Le Nouvel Observateur* avec Pierre Mendès France ? Sartre attendait-il vraiment que son ex-ami sortît du silence qu'il s'était imposé face au cycle infernal de la torture et de la terreur ? Avait-il besoin de sa parole ? A-t-il été ébranlé par cette mort scandaleusement précoce au point de confesser qu'il y avait un défaut dans sa cuirasse éthico-politique ou bien a-t-il été saisi par le démon qu'il combattait sans cesse en lui d'être un Grand Écrivain et cédé, selon son propre aveu, à la tentation de « faire une belle page » ? Devons-nous ajouter foi à cette déclaration d'incomplétude – « pour nous, incertains, déboussolés, il fallait que nos meilleurs hommes aillent au bout du

117

tunnel » – ou faut-il faire crédit à cette confidence tardive : « Il y a une petite chose qui est fausse dans l'article nécrologique que j'ai fait pour Camus, c'est quand je dis que, même quand il n'était pas de notre avis, nous souhaitions connaître sa pensée » ? Bref, peut-on dire qu'il est arrivé à Sartre, comme à Montaigne, de s'instruire auprès de ceux qui le contredisaient et de penser la vérité comme la cause commune de l'humanité tâtonnante, ou bien est-ce seulement pour la forme et la beauté du geste qu'il a décrit la mort de Camus comme l'interruption révoltante d'une conversation irremplaçable ? Nous ne le saurons jamais. Ce que nous savons, c'est que dans la Facel-Vega qui, le 4 janvier 1960, s'est écrasée contre un arbre, il y avait la mallette de Camus et que cette mallette contenait l'ébauche de sa réponse aux attaques et à l'attente. Cette réponse n'allait pas prendre la forme argumentative de l'essai mais celle – narrative – d'une généalogie personnelle dont le titre était déjà trouvé : *Le Premier Homme*. Plutôt que d'opposer sa vision du monde à ceux qui lui faisaient grief d'avoir perdu contact avec l'histoire réelle des hommes, il avait choisi d'explorer, par la voie du roman autobiographique, cette part du réel que l'intelligence conceptuelle manque inévitablement : « Voici les miens, mes maîtres, ma lignée. »

Et d'abord sa mère. Sa mère qu'il veut absolument faire redescendre du ciel des Idées où l'avait malencontreusement projetée la fameuse phrase de Stockholm. Certes ces propos sont arrivés simplifiés aux oreilles de Simone de Beauvoir et d'une intelligentsia progressiste prompte au sarcasme. Il a dit en réalité : « En ce moment, on lance des bombes dans les tramways d'Alger. Ma mère peut se trouver dans un de ces tramways. Si c'est cela la justice, je préfère ma mère. » Camus, en d'autres termes, n'affirme pas la préséance des liens du sang sur les valeurs universelles. Il dénie toute légitimité, toute justice aux attentats aveugles. C'est autre chose que la formule qu'on lui prête. Mais c'est assez pour que *sa* mère disparaisse dans le personnage conceptuel de *la* mère et qu'il décide de lui rendre sa physionomie propre, unique, insubstituable. Cette mère, quand son fils, adulte, revenait la voir à Alger, se jetait dans ses bras et l'embrassait plusieurs fois, le serrant contre elle de toutes ses forces. « Et puis, tout de suite après, détournée, elle retournait dans l'appartement et allait s'asseoir dans la salle à manger qui donnait sur la rue, elle semblait ne plus penser à lui ni d'ailleurs à rien, et le regardait même parfois avec une étrange expression, comme si maintenant, ou du moins il en avait l'impression, il était de trop et dérangeait

119

l'univers étroit, vide et fermé où elle se mouvait solitaire. » Une maladie d'enfance, en effet, l'avait rendue sourde et avec un embarras de parole. Empêchée par cette maladie « d'apprendre ce qu'on enseigne même aux plus déshérités », forcée à « la résignation muette », blottie le plus souvent dans la région nocturne de l'existence, rivée à son arriération et comme reléguée dans les limbes du propre de l'homme, la mère de celui que Camus, dans *Le Premier Homme*, appelle Jacques Cormery pour ne pas dire « je » et pour tempérer le lyrisme de l'évocation par l'extériorité du regard, cette mère donc est, en même temps, évanescente et comme allusive. La distance à soi et la présence aux autres lui font simultanément défaut. Immobile, captive de son être-là, elle échappe à toute prise. Devant cette femme « douce, polie, conciliante, passive même et cependant jamais conquise par rien ni personne », l'élan, une nouvelle fois, se brise et l'adulte retrouve l'étonnement douloureux de l'enfant condamné à ne pouvoir saisir ni garder auprès de lui celle que l'absence de langage condamne à ne pouvoir se fuir. D'où un amour singulier, non répertorié, où se mêle inextricablement la pitié et la piété, la sollicitude infinie et le désespoir inconsolable, la tendresse pour la vulnérabilité et l'épreuve de la transcendance.

« La maternité est sans issue, écrit Victor Hugo. On ne discute pas avec elle. Ce qui fait qu'une mère est sublime, c'est que c'est une espèce de bête. L'instinct maternel est divinement *animal*. » Ce même mot revient sous la plume de Camus mais « la maigre silhouette aux épaules osseuses, tassée sur sa chaise, enfermée dans un silence animal » qu'il évoque amoureusement déroge à la grandiose définition de Hugo. Elle n'est pas possessive, abusive ou fusionnelle, elle est hors d'atteinte. Elle ne s'épanche pas, elle relâche son étreinte, elle se dérobe, elle abandonne, sans un mot, ses enfants à la terrible sévérité de leur grand-mère, et ce qu'elle a de sublime ou de divin, ce qu'elle a d'inférieur et de supérieur au raisonnement, pour parler encore comme Hugo et, avec lui, télescoper les registres, ce n'est pas la résolution farouche de l'instinct maternel, c'est, malgré la dureté d'une vie passée à laver le linge et à faire le ménage des autres, l'absence de plainte, l'inaptitude au ressentiment. *Never explain, never complain*. Ce quant-à-soi de l'innocence, cette indomptable résignation la retranche du monde et l'élève miraculeusement au-dessus de la vulgarité des jours : « Devant ma mère, je sens que je suis d'une race noble : celle qui n'envie rien. »

Il y a, derrière la maxime de Stockholm, l'infirmité, la pauvreté et l'aristocratique étrangeté à toute bassesse, d'un être de chair et de sang. Cette misère et cette grandeur, Camus éprouve un besoin d'autant plus pressant de les sortir de l'ombre et de leur donner statut qu'elles n'ont leur place dans aucun des deux camps, ou des deux blocs, dont l'antagonisme constitue, pour les philosophes de la libération, la loi du réel. Quand l'auteur de *L'Homme révolté* se lance dans la rédaction du *Premier Homme*, ce dualisme dépeupleur ne tient pas seulement le haut du pavé, il dicte les comportements, il occupe le terrain : le présent lui appartient, l'avenir lui tend les bras. Camus a perdu l'espoir d'entraver sa marche. Ses notes préparatoires ont encore une tonalité belliqueuse : « Aux Arabes. Je vous défendrai à n'importe quel prix, sauf au prix de ma mère, *parce qu'elle a connu plus que vous l'injustice et la douleur*. Et si, dans votre rage aveugle, vous touchez à elle ou risquez d'y toucher, je serai votre ennemi jusqu'au bout[1]. » L'heure cependant n'est plus au combat, aux envolées militantes. Le seul jusqu'au-boutisme de Camus, à Stockholm et dans son livre en gestation, est le jusqu'au-boutisme de la vérité. Contre les abstractions hégémoniques du progressisme, il choisit non la voie de l'engagement,

1. Je souligne.

mais celle de la fidélité et du témoignage. Conscient de la vanité de tout effort pour vaincre politiquement la Réduction et modifier le cours des choses, il regarde derrière lui et il vole au secours des oubliés, des sacrifiés, des laissés-pour-compte du sens de l'Histoire, c'est-à-dire, en l'occurrence, de Français d'Algérie qui n'étaient pas des entrepreneurs ni des proprié-taires terriens et qui n'avaient jamais fait « suer le burnous ». À ces humbles vies silencieuses que la division globale du monde entre oppresseurs et opprimés efface dédaigneusement des tablettes, il offre pieusement l'asile de l'œuvre. Il fait entendre la frêle voix de l'oblitéré, il exhume les existences raturées par le schéma de la lutte finale, il soulève la dalle de la philosophie et, lui le pre-mier homme, lui qui comme tant d'autres orphe-lins a dû apprendre à vivre « sans leçons et sans héritage », il questionne sans relâche sa mère si peu loquace sur son père mort les premiers mois de la Grande Guerre.

Quelques bribes émergent : il a perdu très tôt ses parents qui étaient venus d'Alsace, ses frères l'ont mis à l'orphelinat, il ne leur a jamais par-donné cet abandon, il a appris à lire à vingt ans, « il avait de la tête comme toi », lui dit sa mère, il a travaillé à la ferme, et puis il y a eu la guerre, l'embarquement pour la France, il a été tué et

« on m'a envoyé l'éclat d'obus ». Que peut-elle dire de plus, elle qui de cette guerre ignorait tout, qui ne connaissait pas la France, qui n'avait jamais entendu parler de l'Autriche-Hongrie et qui aurait été bien incapable de « former les quatre syllabes de Sarajevo ». Son mari lui avait été brutalement arraché par l'Histoire ; il était, selon la formule du maire venu lui annoncer la triste nouvelle, « mort au champ d'honneur » mais « elle ne savait pas l'histoire ni ce qu'était l'histoire ». Vouée par la misère à la répétition, à l'alternance invariable d'un labeur écrasant et d'un repos sans joie, elle était, de surcroît, enfermée dans la prison de l'ignorance et d'un vocabulaire étriqué. Elle n'avait ni le savoir ni les mots qui lui auraient permis de prendre acte des grands événements. L'extraordinaire se fondait dans l'ordinaire. Rien ne faisait époque. Rien n'entamait cette réalité grise, cette chose uniforme, ce bloc compact qu'était pour elle le temps. Aucune circonstance ne ressortait : « La vie tout entière était faite d'un malheur contre lequel on ne pouvait rien et qu'on pouvait seulement endurer. »

Son fils, en revanche, a tout ce qu'il faut pour dissiper le brouillard de l'indistinct et pour saisir le réel dans sa complexité, dans sa subtilité, dans sa profondeur. La langue lui a ouvert les yeux : descendant d'une longue lignée de taciturnes, il est sorti de l'opacité, il est le premier homme à voir tout à fait clair. Avec le pouvoir de nommer précisément les choses, il a acquis la faculté de discernement. Mais, en l'occurrence, il n'est pas plus avancé. Il a beau savoir ce qu'est un archiduc et connaître sur le bout des doigts les péripéties qui ont conduit à la Première Guerre mondiale, il ne trouve aucun sens à cette intrusion de l'histoire universelle dans la vie de tout un chacun. La catastrophe dont la mère n'a pas les moyens d'appréhender le caractère historique apparaît au fils comme la catastrophe de l'Histoire. Elle n'accède pas à la raison du destin qui l'a frappée ; il prend acte, quant à lui, de sa déraison monstrueuse. Elle est perdue, il est désorienté. Elle ne comprend pas, il constate qu'il n'y a rien à comprendre. Pour elle, « c'était toujours le même temps dont le malheur à tout moment pouvait sortir sans crier gare » ; pour lui, le temps était sorti de ses gonds. Mais, au fond, cela revient au même. L'ignorance vouée à l'obscurité et l'intelligence confrontée à l'absurdité partagent finalement la même stupeur.

Celui que Camus appelle Jacques Cormery pour en parler comme d'un autre et hisser ainsi le témoignage à la vérité supérieure du roman, a éprouvé, pour la première fois, cette stupeur quand, âgé de quarante ans, il est allé se recueillir sur la tombe de son père au cimetière de Saint-Brieuc. C'était pour lui qui, à l'instar de l'Étranger, « avait horreur des gestes et des démarches conventionnels », une visite qui ne rimait à rien sinon à faire ce que lui demandait sa mère avec insistance depuis longtemps. Il obéissait donc machinalement et sans y mettre vraiment du sien quand, lisant les deux dates : 1885-1914, il prit soudainement conscience que l'homme enterré était plus jeune que lui. Un sentiment paradoxal alors l'envahit, un flot de tendresse et de pitié lui emplit le cœur : ce « n'était pas le mouvement d'âme qui porte le fils vers le souvenir du père disparu, mais la compassion bouleversée qu'un homme fait ressent devant l'enfant injustement assassiné – quelque chose ici n'était pas dans l'ordre naturel et, à vrai dire, il n'y avait pas d'ordre mais seulement folie et chaos là où le fils était plus âgé que le père. La suite du temps lui-même se fracassait autour de lui immobile, entre ces tombes qu'il ne voyait plus, et les années cessaient de s'ordonner suivant ce grand fleuve qui coule vers sa fin ».

C'est là, sans doute, dans cette folie et dans ce chaos préoriginel, que s'enracine le refus camusien si vivement critiqué par Sartre d'abandonner l'existence humaine à l'Histoire. L'Histoire, nous sommes dedans « jusqu'aux cheveux », affirme

Sartre. Peut-être. Mais qui nous dit que c'est bien ainsi, que c'est normal, que telle est, *in fine*, la vérité de notre condition ? Qui nous dit que l'Histoire est notre seule patrie ? Qui nous dit que nous n'avons pas d'autre appartenance, pas d'autre recours, pas d'autre manière d'habiter ou d'arpenter le monde ? Qui nous dit que l'Histoire est par excellence le lieu où s'élabore le sens de la vie ? Ne faut-il pas occulter, pour continuer à le croire, l'épreuve instauratrice du XXᵉ siècle, ce « feu universel » qui a dévoré le « père cadet » du premier homme ?

Au milieu de la conversation avec sa mère, entre deux questions pressantes sur ce père inconnu, une bombe explose. Cette bombe s'inscrit dans un combat. C'est une action par définition historique comme l'était l'attentat de Sarajevo. Mais avec ce rapprochement, ce télescopage narratif, Camus suggère que le fossé qui s'est ouvert alors entre le réel et le rationnel n'a pas été résorbé. Et le premier homme refuse d'entériner sous le nom éclatant de justice le sacrifice des siens aux rigueurs de l'Histoire.

Il y a cependant un autre motif à ce désaveu sacrilège du Grand Englobant. Il y a la chance d'avoir été pauvre au milieu de la beauté ; il y a l'expérience enfantine de la générosité surabondante de l'être. Le premier homme rend grâce au dénuement de l'avoir exposé aux éléments en le privant des prothèses, des appareils, des instruments, des divertissements et de tous les amortisseurs qui calfeutrent les vies bourgeoises. Aucune richesse ne le séparait du luxe du monde naturel. Ce monde, il ne l'a pas seulement contemplé. Avant qu'assagi il n'en devienne le spectateur, il l'a goûté, il l'a touché, savouré, respiré et s'est enivré sans retenue de ses odeurs ; il a couru à perdre haleine, il a nagé dans l'eau tiède de la mer, il a mené, sous le soleil, la vie fastueuse d'un roi. Dépouillé du superflu et même d'une partie du nécessaire, il a connu la puissance et la gloire. « Pendant des heures sans frontière sur un territoire sans limites, sa tête perdue dans la lumière incessante et les immenses espaces du ciel, Jacques se sentait le plus riche des enfants. »

Pour le meilleur parfois et, chez les plus philosophes, pour le pire, on considère généralement Camus comme un de nos grands humanistes. La réalité que dévoile *Le Premier Homme* est toute différente et beaucoup plus originale. Camus est l'un des très rares penseurs du XXᵉ siècle qui ait posé des limites à l'empire de l'Histoire, c'est-à-dire de l'Homme. Au contraire des grandes philosophies du sujet ou de celles de la structure, il a donné une place essentielle à l'autre que l'Homme dans le monde des hommes. La terre humaine ne se réduit pas aux dispositifs humains, à la succession des codes culturels ou à la variété des formes sociales. Il y a les traditions et il y a les ruptures, il y a les actions des hommes et leur retombée dans l'inertie de la matière. Il y a aussi quelque chose qui ne relève ni de la praxis ni du pratico-inerte et que l'Algérie a fait découvrir à Camus : quand celui-ci entame la rédaction du *Premier Homme*, il est trop tard pour revendiquer les droits historiques sur ce pays ; reste l'indéracinable patriotisme, le lien qui l'unit à la réalité algérienne sur laquelle l'histoire ne mord pas. Il trouve dans cette mémoire vive de la mer, du soleil et des paysages la force de résister non certes à la marche des choses mais à l'esprit historiciste du temps.

Ce qu'a de plus émouvant, et même de tragique, *Le Premier Homme*, c'est moins peut-être son inachèvement que son caractère inaugural. Camus revenait sur ses pas et, simultanément, il se déprenait de lui-même, de la pompe que lui reprochait Sartre comme du dépouillement trop concerté de l'écriture blanche. Sa prose s'est métamorphosée afin de restituer aussi complètement que possible la présence physique du monde dont il était issu. Camus est mort alors même qu'il naissait, littérairement, à une vie nouvelle.

« On sait, écrivait Sartre dans sa *Réponse à Albert Camus*, qu'il faut, sinon l'aisance, du moins la culture, cette inappréciable et injuste richesse pour trouver le luxe au fond du dénuement. » Eh bien, non, s'obstine Camus. Le dénuement n'est pas seulement un scandale : dans certains lieux, à de certaines époques, c'est un privilège et même une grâce. Cette grâce, il doit à la culture non d'avoir pu l'éprouver mais de pouvoir la dire. Et l'inappréciable richesse dont parle Sartre s'incarne, pour lui, dans la figure d'un juste : M. Germain, son instituteur de classe de certificat d'études. Celui-ci avait « pesé de tout son poids d'homme, à un moment donné, pour modifier le destin de cet enfant dont il avait la charge ». Et il l'avait même bouleversé en réussissant à convaincre sa grand-mère qui, pressée par le besoin, voulait le mettre en apprentissage, de le laisser passer l'examen d'entrée au lycée et poursuivre des études secondaires. Avant cette bifurcation décisive, M. Germain lui avait révélé l'existence de l'*ailleurs.* Et le premier ailleurs, c'était la France. L'instituteur se servait des manuels en usage dans la métropole : « Ces enfants qui ne connaissaient que le sirocco, la poussière, les averses prodigieuses des braises, le sable des plages et la mer en flammes sous le soleil, lisaient avec application, faisant sonner les virgules et les points, des récits pour eux mythiques où des enfants à bonnet et cache-nez de laine, les pieds chaussés de sabots, rentraient chez eux dans le froid glacé en traînant des fagots sur des chemins couverts de neige, jusqu'à ce qu'ils aperçoivent le toit enneigé de la maison où la cheminée qui fumait leur faisait savoir que la soupe aux pois cuisait dans l'âtre. » Et pour nommer ce dépaysement merveilleux, Camus choisit le vocable que les agences de voyages réservent aux destinations ensoleillées : l'exotisme. Exotisme des frimas. Exotisme des flocons. Exotisme de l'hiver blanc. Exotisme « où la peur et le malheur rôdaient » des *Croix de bois* de Roland Dorgelès, ce roman sur la Grande Guerre dont le maître mettait un point d'honneur à lire de larges extraits « à la fin de chaque trimestre quand l'emploi du temps le permettait ». Exotisme studieux. Attirante étrangeté de la culture scolaire. Besoin d'*être enseigné*, c'est-à-dire de se quitter, de s'oublier, d'être en vacances de soi et d'accoster à une rive lointaine. Pour un enfant condamné par la pauvreté à une vie refermée sur elle-même, l'enseignement était une évasion. C'était aussi une *investiture*. Tous les enfants « sentaient qu'ils existaient et qu'ils étaient l'objet de la plus haute considération ». Ce qui, dans cette version républicaine de la démocratie, ne signifiait nullement qu'on prêtait une oreille admirative à leurs opinions considérables, mais qu'on les jugeait, quelle que fût leur origine sociale, « dignes de découvrir le monde ».

En va-t-il toujours de même, le respect est-il encore ce qu'il était ou bien l'hommage du premier homme à son premier maître et sa célébration de « la puissante poésie de l'école qui s'alimentait aussi de l'odeur de vernis des règles et des plumiers » et « de l'odeur amère et rêche de l'encre violette » témoignent-ils d'un âge révolu ? Au moment où Camus partait à la recherche de son passé, Günther Anders, émigré aux États-Unis, décrivait le présent comme la situation où la métamorphose du monde en une chose dont on dispose est accomplie réellement et techniquement. Autrefois, rappelait Anders, « l'homme, pour faire véritablement partie du monde, ne pouvait y accéder qu'après coup, c'est-à-dire *a posteriori*. Il devait d'abord en faire l'expérience et apprendre à le connaître jusqu'à ce qu'il soit devenu un homme accompli et expérimenté. La vie était une exploration ». Maintenant que la réalité est retransmise et livrée à domicile, en direct ou, comme on dit aujourd'hui, en temps réel, « ce voyage et cette expérience sont devenus superflus ; ainsi, puisque le superflu finit toujours par disparaître, ils sont devenus impossibles [...]. Le monde a perdu ses chemins. Nous ne parcourons plus les chemins [...]. Nous n'allons plus au-devant des événements, on nous les apporte ».

Cette civilisation de l'image qui naissait en 1957 est aujourd'hui arrivée à maturité et, en délaissant les chemins, elle a mis M. Germain hors du coup. De truchement, il est devenu obstacle. Il montrait la voie ; voici qu'il bouche la vue. Il devait son *aura* au pouvoir qui était le sien de déverrouiller les portes, d'ouvrir les fenêtres, d'arracher les enfants à l'exiguïté et à la monotonie de leur chez-soi. La télé-présence remplit désormais cette fonction. Il n'y a plus de place pour le médiateur ou l'intercesseur de l'universel dans le nouveau dispositif de l'information et de la communication planétaire. Le maître qui nourrissait jadis « une faim plus essentielle encore à l'enfant qu'à l'homme qui est la faim de découvertes » se heurte désormais à l'indifférence railleuse ou à la somnolente digestion du télé-regard. Ses élèves ne sont plus affamés ; ils sont repus d'images-chocs, gavés de succédanés et de fantômes. La misère elle-même a cessé d'être la « forteresse sans pont-levis » évoquée dans *Le Premier Homme*. Les démunis contemporains ne sont pas débranchés : ils ont un portable et une télécommande. L'indigence est logée à la même enseigne visuelle et virtuelle que l'opulence. Que l'on soit pauvre ou prospère, on consomme des programmes. De bas en haut de l'échelle sociale, l'*être-dans-le-monde* de la vieille humanité cède inexorablement la place à un *être-pour-l'écran* délivré des contraintes de la pesanteur, victorieux des distances, saturé de sensationnel, connecté à tous les lieux de la terre et séparé de la texture des choses, blasé, « alimenté, comme disait déjà Valéry, d'images visuelles ou auditives, naissant et s'évanouissant au moindre geste, presque à un signe ». La généralisation de cette grande bouffe oculaire altère profondément la nature du dénuement et change radicalement la donne de l'enseignement. Voilà pourquoi nous sommes si remués par la lecture du roman autobiographique de Camus. Le Premier Homme nous apparaît comme le dernier des mohicans. Il a connu l'éclat d'une tout autre misère, il a bénéficié d'une tout autre institution, il n'a pas été assujetti au règne sans partage de la consommation, il a grandi dans une époque où c'était l'homme qui allait au monde et non le monde à l'homme. Mais il n'y allait pas seul : en faisant office de père à un moment crucial, M. Germain, le représentant de l'institution, l'a d'abord accompagné et lui a permis ensuite de se retourner pour tisser des liens avec son père inconnu.

Devenu adulte, il est tombé, un jour, à Alger sur son ancien directeur d'école, M. Levesque.

Celui-ci était le dépositaire d'une anecdote précieuse et même extraordinaire dont il lui a fait le récit. C'était en 1905, au Maroc. Ils combattaient, lui et son père, dans les rangs de l'armée française. Une nuit, alors que leur détachement campait au sommet d'une petite colline gardée par un défilé rocheux, ils découvrirent la sentinelle qu'ils s'apprêtaient à relever « la tête renversée bizarrement tournée vers la lune ». Ils n'avaient pas reconnu d'abord ce visage qui avait une forme étrange : « Mais c'était tout simple. Il avait été égorgé et, dans sa bouche, cette boursouflure livide était son sexe entier. » Lucien Camus (*alias* Cormery) était hors de lui : « À l'aube, quand ils étaient rentrés au camp, il avait dit que les autres n'étaient pas des hommes. » M. Levesque qui réfléchissait et qui avait l'esprit ouvert, s'était élevé contre un rejet viscéral. Voulant prendre de la hauteur, il avait répondu « que, pour eux, c'était ainsi que devaient agir les hommes, qu'on était chez eux, et qu'ils usaient de tous les moyens ». Avec une belle impartialité, Levesque réintégrait ainsi la violence dont ils venaient tous deux d'être les témoins dans le cercle de l'humanité, en lui conférant le double sceau de la tradition et de la résistance. Mais c'était peine perdue. Loin de se laisser impressionner par le point de vue panoramique qui lui signifiait que le barbare, c'était lui, parce qu'il croyait à la barbarie, Cormery resta sur ses positions. Il s'arc-bouta même à sa colère : « Peut-être. Mais ils ont tort. Un homme ne fait pas ça. » Moins élaboré que son interlocuteur, il n'en est pas pour autant plus superficiel. Il admet qu'on puisse expliquer cet acte et lui trouver des raisons. Il voit bien qu'il n'est pas le fait d'une bande de psychopathes. Il reconnaît qu'il a des causes sociales, des racines culturelles et qu'il s'inscrit dans une stratégie d'autodéfense voire de libération. Ce qu'il refuse, sans vraiment avoir les mots pour le dire, c'est qu'on rabatte le principe d'humanité sur le principe de raison suffisante. Levesque ayant objecté, toujours aussi équanime, « que, pour eux, dans certaines circonstances, un homme doit tout se permettre », Cormery était sorti de ses gonds : « Non, un homme ça s'empêche. Voilà ce qu'est un homme, ou sinon... »

L'homme, autrement dit, est l'être qui se définit non par ce qu'il fait – ses projets, ses produits, ses prouesses, ses édifices, ses monuments – mais par ce que le scrupule ou la vergogne le retiennent de faire. Et cela vaut pour tout le monde. Cette règle ne souffre pas d'exception. L'homme qui se révolte doit être aussi un homme qui se résiste. Ensuite, Cormery avait ajouté d'une voix sourde : « Moi, je suis pauvre, je sors de l'orphelinat, on me met cet habit, on me traîne à la guerre mais je m'empêche. » Pour le dire dans la langue hégélienne de Sartre et de Jeanson : le père de Camus n'est pas une belle âme. Il paie de sa personne. Son sort n'est guère plus enviable que celui des égorgeurs. Il pourrait donc, en tant que victime, s'appliquer le discours de Levesque et s'exonérer, lui aussi, de la norme morale par la critique sociale. Or, il ne le fait pas. Il ne lâche pas la bride à sa rage. C'est donc en connaissance et même en expérience de cause qu'il affirme qu'à l'opprimé tout n'est pas permis et que la misère ne saurait constituer un certificat d'irresponsabilité ni *a fortiori* un droit au mal. « "Il y a des Français qui ne s'empêchent pas, avait dit Levesque. – Alors eux non plus, ce ne sont pas des hommes." Et soudain, il cria : "Sale race ! Quelle race ! Tous, tous…" » Nul racisme dans cette malédiction. La sale race, ce n'est pas tel peuple ou telle civilisation, c'est l'humanité quand elle se désentrave de tout ce qui la distingue d'une espèce sanguinaire.

Des deux protagonistes de ce dialogue capital, le père de Camus était le plus fruste. Il n'allait pas au bout de ses raisonnements. Il ne finissait pas ses phrases. Son vocabulaire était succinct, sa syntaxe, vacillante et son comportement, rigide.

Alors que son compagnon s'efforçait de comprendre avant de condamner, il voyait rouge et bégayait d'indignation. Mais les apparences sont trompeuses : Cormery ne refusait pas la lumière, il refusait de se laisser entraîner dans la nuit où la décence ne se distingue plus de l'abjection. Ce n'était pas parce qu'il était limité qu'il mettait des limites à la compréhension, mais parce qu'il était intraitable. Contre vents et marées progressistes ou culturalistes, il maintenait l'existence d'un absolu éthique et de critères universels. Il ne rejetait pas la différence mais l'idée d'une multiplicité indifférente de manières d'agir. Il ne confondait pas bêtement ce qui est bien avec ce qui est sien, il veillait jalousement sur l'irréductible, il contestait farouchement l'oubli de ce qui est bien au profit de ce qui est autre ou de ce qui est censé servir la cause du Bien et rien ne le révoltait davantage que l'escamotage de l'horreur par l'intelligence de son interprétation.

Camus n'a donc hérité de rien sinon de cette phrase lapidaire – « Un homme, ça s'empêche » – qu'il n'a cessé de développer et d'approfondir. Orphelin, « sans passé, ni maison de famille, ni grenier bourré de lettres et de photos », il a dû se construire lui-même, mais c'est comme sous la dictée de son père qu'il a écrit : « L'homme n'est pas seulement esclave contre maître mais homme contre le monde du maître et de l'esclave. » Et c'est encore un fils qui, dans *Le Premier Homme*, s'incline devant les Muets dont il est issu et devant le Maître qui l'a délivré de leur silence, c'est-à-dire devant les êtres auxquels il doit d'avoir connu un autre visage du monde.

Bibliographie

Albert CAMUS, *Le Premier Homme*, Gallimard, 1994
—, « Éléments pour *Le Premier Homme* », in *Œuvres complètes*, tome IV, « Bibliothèque de la Pléiade », Gallimard, 2008
—, *L'Homme révolté*, Gallimard, 1963
—, « Révolte ou servitude », in *Œuvres complètes*, tome III, « Bibliothèque de la Pléiade », Gallimard, 2008
Francis JEANSON, « Albert Camus ou l'âme révoltée », in *Les Temps modernes,* n° 79, mai 1952
Jean-Paul SARTRE, « Réponse à Albert Camus », in *Situations*, tome IV, Gallimard, 1964
—, « Albert Camus », *ibid.*
—, « Plaidoyer pour les intellectuels », in *Situations philosophiques*, Gallimard, collection « Tel », 1990
Simone DE BEAUVOIR, *La Force des choses*, Gallimard, 1963

Michel DE MONTAIGNE, « De l'art de conférer », *Les Essais*, livre III, chapitre VIII, PUF, 1978

Jean DANIEL, *Avec Camus. Comment résister à l'air du temps*, Gallimard, 2006

Victor HUGO, *Quatrevingt-treize*, Gallimard, collection « Folio », 1979

Günther ANDERS, *L'Obsolescence de l'homme. Sur l'âme à l'époque de la deuxième révolution industrielle*, Éditions Ivrea, 2002

Paul VALÉRY, « La Conquête de l'ubiquité », in *Œuvres*, tome II, « Bibliothèque de la Pléiade », Gallimard, 1960

André BRETON, in *Arts* du 16 novembre 1951, cité in Mark Polizzotti, *André Breton*, Gallimard, 1999

Pierre BOURDIEU, *La Distinction*, Éditions de Minuit, 1979

La plaisanterie

Lecture de *La Tache*, de Philip Roth

« Vous savez comment commence la littérature européenne ? Elle commence par une querelle. » C'est par cette observation déconcertante qu'après avoir fait l'appel, Coleman Silk attaquait son cours sur les dieux, les héros et les mythes dans le monde antique. Et puis il lisait sans autre préambule les premiers vers de l'*Iliade* à la classe : « Chante, divine Muse, la colère désastreuse d'Achille [...]. Pars du jour où une querelle tout d'abord opposa Agamemnon le roi des hommes au grand Achille. » Et le professeur enfonçait le clou : « Qu'est-ce qu'ils se disputent ces deux hommes puissants, ces deux âmes violentes ? C'est aussi primitif qu'une rixe de bar. Ils se disputent une femme. Une fille pour mieux dire. Une fille volée à son père. Une fille enlevée à la faveur des combats. » Cette captive s'appelle Briséis. Elle est la concubine d'Achille et Agamemnon a décidé de se l'approprier en échange de la fille de Chrysès, le prêtre d'Apollon, qu'il doit rendre pour calmer la colère du dieu. Caprice contre susceptibilité, la querelle qui éclate au premier chant du majestueux poème n'est pas une grande querelle. Elle a même quelque chose de trivial. L'épopée homérique, avec ses héros, ses dieux et ses mythes, s'enracine dans la *prose* de la condition humaine. La fable originelle nous raconte une histoire qui ne nous raconte pas d'histoires.

Cette entrée en matière faisait le bonheur des étudiants. Car en assignant solennellement à la littérature un commencement aussi peu solennel, elle brisait avec le protocole anesthésiant du culte des classiques et établissait entre les œuvres les plus hautes et l'expérience la plus vulgaire un lien auquel rien ni personne ne les avait préparés.

Après avoir été le premier doyen juif de l'université d'Athéna, Coleman Silk venait de reprendre son enseignement à plein temps et tout se passait le mieux du monde pour lui, en cette année 1995, jusqu'au jour où, se rendant compte que deux élèves n'avaient encore jamais répondu à l'appel de leur nom, il eut cette phrase facétieuse et fatale : « Est-ce que quelqu'un connaît ces gens ? *Do they exist or are they spooks ?* Existent-ils vraiment ou bien s'agit-il de fantômes ? »

Le même jour, Coleman Silk fut convoqué au bureau du nouveau doyen pour y apprendre simultanément que les deux étudiants étaient afro-américains et qu'il devait répondre désormais de l'accusation de racisme. Le mot « spook », en effet, auquel tous les dictionnaires donnent la définition de « fantôme » ou de « spectre » peut aussi s'employer, dans un argot démodé, pour désigner péjorativement les Noirs. L'ancien doyen n'en crut pas ses oreilles. Comment aurait-il pu ironiser sur la couleur de peau d'étudiants qu'il n'avait jamais vus ? Non, il n'avait pas dit : « Ces bamboulas existent-ils ? » – proposition grotesque, absurde, impossible –, il en était venu, du fait de leur absentéisme, à se poser, *pour rire*, la question du caractère réel ou spectral de leur existence. Il rentra donc chez lui, tranquille et sûr que cette mise en cause resterait sans suite. Il se trompait. Il péchait par insouciance. Ce mot de rien du tout – « spooks » – avait déclenché les foudres de l'humanité en lutte contre le racisme et toutes les formes de discrimination. Et cette humanité, si aberrants que fussent ses griefs et ses protestations, nul n'avait vraiment envie de se mettre en travers de son chemin ou de lui chercher noise. Le doyen ouvrit docilement une enquête.

Une organisation militante noire fit ardemment de même et les collègues de Coleman Silk qui ne voulaient pas avoir l'air de transiger avec l'Inacceptable et qui étaient, de surcroît, trop heureux de lui faire payer l'énergie qu'il avait déployée, lorsqu'il était doyen, pour sortir l'université de son train-train, décidèrent de prendre l'accusation au sérieux. Peut-être, en effet, avait-il laissé entendre délibérément ou inconsciemment que seuls des Noirs pouvaient sécher les cours avec une aussi persévérante désinvolture. La rage saisit donc *le professeur de colère*, une rage non moins furieuse que celle d'Achille, « la tête brûlée la plus inflammable, la plus explosive qu'un écrivain ait jamais pris plaisir à dépeindre », comme il disait à ses étudiants, mais une rage logique, militante, argumentée, fondée sur des raisons universellement partageables. C'était une question de principe et non de rivalité masculine. Ce n'était pas la rage d'un héros imbu de ses pouvoirs et de ses droits, mais l'indignation d'un innocent atterré par les poursuites dont il faisait l'objet et qui en appelait, contre la malveillance bien-pensante de ses persécuteurs, à la vérité, à la justice, au sens commun.

À ses côtés se tenait Iris, sa femme. Leur relation s'était détériorée depuis longtemps ; face au scandale, néanmoins, ils retrouvèrent leur ancienne complicité d'étudiants et ils firent front. Mais Iris ne tint pas le choc. Elle se réveilla un matin, avec une migraine atroce et un bras endolori. Le lendemain, elle était morte. Pour Coleman, aucun doute : cette mort était un meurtre. Ils l'avaient visé, lui ; et c'est elle qu'ils avaient tuée. Après avoir pris ses dispositions pour les obsèques, Coleman Silk tambourina à la porte de l'écrivain Nathan Zuckerman qui vivait retiré dans les parages. Les deux hommes se connaissaient à peine, mais Coleman était hors de lui et la rage renversa ses inhibitions. Il déballa fébrilement son histoire et, sans autre forme de procès, il demanda au romancier de l'écrire. S'il le faisait, lui la victime, on ne le croirait pas, on dirait qu'il exagère, on le prendrait pour un affabulateur. Cette affaire avait besoin d'un écrivain de métier pour que sa vérité puisse transpercer son invraisemblance.

Zuckerman, fasciné et même bouleversé par le désespoir de celui qui allait devenir son ami, refusa pourtant la proposition. La cause était juste, cela ne se discutait pas. Mais, précisément, il faisait des romans, non des manifestes. Il n'écrivait pas pour vider des querelles, si légitimes fussent-elles, mais pour examiner l'existence par la voie de la narration. Il ne voulait en aucun cas déléguer cette prérogative à une instance extérieure en troquant son statut d'auteur pour celui de justicier, c'est-à-dire de personnage dans ce grand récit où sont censés se jouer le destin du monde et celui de tout un chacun et que, depuis Hegel, on appelle l'Histoire. Bref, malgré le sentiment de révolte suscité en lui par la disgrâce et l'humiliation qui frappaient l'ancien doyen, il repoussa la tentation d'être un vengeur, un héros, un Achille humaniste, pour continuer à s'inscrire, autant qu'il le pouvait, dans le sillage d'Homère.

Coleman Silk démissionna de l'université et continua donc à accumuler des notes pour un livre qui devait s'appeler *Spooks*. Il écumait, il rabâchait, il marinait dans la fureur et dans l'aigreur. Et puis vint inopinément la délivrance. « C'est fini, annonça-t-il un jour à son nouvel ami, j'ai une liaison, Nathan, j'ai une liaison avec une femme de trente-quatre ans. Je ne peux pas vous dire le bien que ça m'a fait. » Cette femme s'appelait Faunia Farley, elle avait grandi dans une maison de la grande bourgeoisie de Boston qu'elle avait fuie, adolescente, parce que son beau-père qui n'arrêtait pas de la tripoter voulait coucher avec elle. Elle avait épousé un vétéran du Vietnam qui avait mené à la ruine leur élevage de vaches laitières. Et les deux enfants de cette femme que la vie essayait de broyer avec une constance incroyable étaient morts asphyxiés dans l'incendie de leur caravane. Elle avait pour seul bien la boîte en fer où elle gardait les cendres de ses petits, elle travaillait comme femme de ménage là où Coleman Silk, de trente-six ans son aîné, avait été doyen et, pour couronner le tout, elle était illettrée, elle avait choisi d'oublier ce que jusqu'à l'âge de quatorze ans elle avait appris dans son école de Boston.

Ces deux êtres n'auraient jamais dû se rencontrer. Ils étaient séparés par les barrières trois fois infranchissables de l'âge, de la culture, de la société. Mais grâce en soit rendue à leurs disgrâces respectives et à une petite pilule bleue, ils se trouvèrent. Affranchi de la rage du combattant, désencombré de ses propres fulminations, sauvé des tourments et des ravages si bien décrits par les Grecs, que déchaîne l'appétit de vengeance, Coleman se sentait vivre, plus que jamais mais d'une autre manière, dans la lumière de l'*Iliade*. « Je prends du Viagra, Nathan [...], toute cette turbulence, ce bonheur, je les dois au Viagra. Sans le Viagra, je ne vivrais rien de tout cela [...]. Sans le Viagra, je continuerais sur le déclin de mon âge à entretenir la largeur de vue détachée d'un homme de culture et d'expérience, qui a pris sa retraite à l'issue de bons et loyaux services après avoir depuis longtemps renoncé aux plaisirs de la chair [...]. Grâce au Viagra, je viens de comprendre les transformations amoureuses de Zeus. C'est comme ça qu'on aurait dû appeler le Viagra, du Zeus. » Cette merveille biotechnologique, autrement dit, démocratise l'Olympe. Ce cadeau non du ciel mais de la modernité met à la portée du premier venu les exploits que les légendes les plus anciennes de notre culture attribuaient aux dieux. Sous l'effet du Viagra, la sécularisation sort de ses rails : ce que le progrès transfère dans l'ici-bas, ce ne sont pas les grandes espérances et les visions prophétiques de la Bible, ce sont les prodiges frivoles de la mythologie.

C'est Coleman Silk qui célèbre les vertus divines du Viagra. Mais c'est Nathan Zuckerman qui relate cet épisode. L'écrivain a fini par accéder à la demande du professeur. Il l'a fait après la mort des deux amants dans un accident de voiture (et dans des conditions qui ne seront révélées qu'à la fin de l'histoire). Ce qui a motivé ce revirement, c'est, outre la volonté de construire un tombeau pour l'ami défunt, la découverte, faite lors de l'enterrement, que ce « Juif à petit nez et aux mâchoires saillantes » était, en réalité, noir. Il ne s'agissait donc plus, pour le romancier retiré du monde, de se jeter dans la bataille en dressant son « J'accuse ! » mais de percer l'énigme d'un homme. L'artiste était sollicité et non l'intellectuel. Le récit qui ne semblait requérir que la passion justicière exigeait maintenant bien davantage : l'élucidation d'un choix existentiel.

Comme Anatole Broyard, célèbre critique littéraire du *New York Times* dans les années cinquante du XXe siècle, Coleman avait la peau claire. Alors que l'épiderme n'a normalement d'autre possibilité que d'être franc et d'*afficher la couleur*, le sien dérogeait à la règle ontologique commune. Incertain, équivoque, frontalier, il était épargné par l'antinomie. Blanc ou noir : on ne pouvait en décider à première vue. Son père qui, après le krach de 1929, avait perdu sa boutique d'opticien et avait dû, pour faire vivre sa famille, devenir serveur de wagon-lits, l'avait prévenu : « Chaque fois qu'on a affaire à un Blanc, il a beau avoir les meilleures intentions du monde, il tient notre infériorité intellectuelle pour acquise. D'une façon ou d'une autre, sinon explicitement, du moins par l'expression de son visage, le son de sa voix, son agacement et même le contraire, c'est-à-dire sa patience, ses prodigieux efforts d'humanité, il vous parle toujours comme si vous étiez un demeuré, il est toujours ébahi que vous ne le soyez pas. » Dans ce climat d'humiliation silencieuse (aggravé encore par sa position professionnelle), M. Silk avait mis un point d'honneur à soigner l'éducation de ses enfants, et notamment leur connaissance de l'anglais. Un anglais qu'il appelait « la langue de Chaucer, de Shakespeare, de Dickens » et qu'il honorait en interdisant les approximations ou les locutions infantiles : « Même les petits camarades de ses enfants qui passaient par la maison s'entendaient reprendre par M. Silk. » Et il fit si efficacement mentir le préjugé que son fils Coleman était le meilleur de sa classe au lycée. Résultat : la famille reçut un jour la visite du Dr Festerman, le grand chirurgien de l'hôpital où travaillait sa mère ; celui-ci venait demander aux parents de convaincre leur fils de laisser, moyennant compensation financière, la première place au sien, seul moyen pour celui-ci d'entrer dans une grande faculté de médecine de la côté Est, car à l'époque le GI Bill n'avait pas encore été instauré et les Juifs subissaient un *numerus clausus* extrêmement sévère. La famille refusa cette proposition indécente. Mais Coleman fut durablement marqué par l'épisode. Aussi, quand à New York, en 1948, il rencontra Steena, une jeune fille du Minnesota, s'abstint-il de lui dire qu'il était noir. Il ne lui dit pas non plus qu'il était blanc. Il ne lui dit rien. Il laissa, bien qu'elle n'ait aucun préjugé, la question pendante. Mais lorsqu'elle découvrit la vérité, sans y avoir été préparée, lors d'une visite de présentation chez ses parents à East

Orange dans le New Jersey, Steena fut prise de panique. Sur le chemin du retour, elle éclata en sanglots : « Je ne peux pas », et elle s'enfuit. Alors, quelque temps plus tard, il dit à la femme avec laquelle il allait faire sa vie qu'il était juif et que Silk était « une américanisation, acquise à Long Island, de Silbersweg, qu'un douanier charitable avait imposée à son père ».

Coleman n'est pas, ce faisant, passé à l'ennemi. Il n'a pas déserté le monde des faibles et des opprimés pour jouir sans vergogne des privilèges de la domination. Il n'a pas choisi le bien-être de l'appartenance majoritaire contre le fardeau de l'appartenance à la minorité stigmatisée des anciens esclaves. Il a choisi la voie exaltante et exigeante de l'*inappartenance*. Pour le dire d'un mot : il n'a pas changé de camp, il a décampé.

La tragédie américaine, comme le remarquait déjà Tocqueville, c'est moins l'esclavage en soi que la combinaison du « fait immatériel et furtif de l'esclavage avec le fait matériel et permanent de la race ». Il y a là une fatalité que l'affranchissement ne suffit pas à rompre car « le souvenir de l'esclavage déshonore la race et la race perpétue le souvenir de l'esclavage ». Un descendant d'esclaves peut répondre à cette situation par le défi, par la dignité impassible ou par la surenchère servile. Mais il ne peut pas ne pas commencer par répondre. Il est condamné à réagir et à réagir comme membre d'une communauté. Il a toujours déjà perdu l'initiative et l'indépendance. Il n'est plus le maître de sa vie, mais, dans la soumission ou la révolte, l'esclave de sa couleur. Assigné à celle-ci comme à une essence, il est exclu de la grande promesse humaniste mise dans la bouche de Dieu par Pic de La Mirandole, il y a déjà bien longtemps : « Je ne t'ai donné ni place déterminée, ni visage propre, ni don particulier, ô Adam, afin que ta place, ton visage et tes dons tu les veuilles, les conquières et les possèdes par toi-même. La nature enferme d'autres espèces en des lois par moi établies. Mais toi que ne limite aucune borne, par ton propre arbitre, entre les mains duquel je t'ai placé, tu te définis toi-même. » Aujourd'hui, c'est-à-dire après l'élection d'un président noir à la Maison Blanche, il n'y a pas d'Américain qui ne se sente autorisé à revendiquer ce pouvoir et à scander : « *Yes, we can !* » Mais à l'époque où Coleman devient adulte et prend sa vie en main, cet Adam ne peut toujours pas être noir. Même si – choc en retour du nazisme – la ségrégation est de plus en plus contestée, la visibilité des Noirs tyrannise encore leur identité et leur nom propre demeure enchaîné à leur nom commun. Qu'elle soit assumée ou honteuse, la négritude reste *inoubliable* alors que les Blancs sont libres d'accorder ou non de l'importance à leur couleur de peau. Un visage noir est noir avant d'être visage. Un visage pâle est d'abord visage. Coleman aspire tout simplement à cette préséance. Il refuse de limiter ses options existentielles à l'éventail de rôles qui lui sont proposés par le regard social. Il veut écrire sa partition. Il veut se définir lui-même. Il veut bénéficier de la promesse faite à Adam en revêtant la peau, non d'un Blanc, mais d'un *incolore*. Il ne va donc pas, par lâcheté ou par opportunisme, d'un *nous* à un autre. Il change hardiment de pronom. Il s'arrache à l'étreinte de la première personne du pluriel : Coleman est un *pionnier du Je*.

Cette trajectoire et cette résolution ont quelque chose d'exceptionnel mais elles ne tombent pas des nues. C'est le génie même de sa nation qui inspire Coleman quand, pour être un individu au plein sens du terme, il répudie la race et l'histoire. Que fait-il, en effet, au moment de se lancer dans sa folle entreprise, sinon trouver une issue américaine à la tragédie de l'Amérique ? Pic de La Mirandole a donné le coup d'envoi de la modernité occidentale en conférant à l'être humain la capacité et même l'obligation de construire son être. Mais, en Occident, il n'y a qu'un lieu *exclusivement* moderne : le continent nord-américain. Alors que l'Europe est vouée à composer avec l'Ancien Régime, l'Amérique est, au moins autant que la Terre promise de l'abondance, le royaume où l'homme est invité à secouer le joug de l'origine et à laisser derrière lui, telle une vieille défroque, le destin oppressant. L'attrait du Nouveau Monde tient à son refus de transiger, comme le Vieux Continent, entre le passé et l'avenir. *Self-made man*: c'est la formule de l'*homo americanus* et elle ne s'applique pas moins à Coleman Silk coupant le lien ombilical pour devenir quelqu'un de son choix qu'à la fulgurante réussite matérielle de Howard Hughes ou de Bill Gates. Adam ne peut être noir ? Qu'à cela ne tienne ! Coleman ne sera plus noir afin de gagner l'*indétermination* d'Adam, et il accomplira ainsi le geste américain par excellence : « Devenir un être neuf. Bifurquer. Le drame qui sous-tend l'histoire de l'Amérique, il suffit de se lever et en route ! avec l'énergie et la cruauté que requiert cette quête enivrante. »

Nathan Zuckerman montre l'extraordinaire énergie de celui qui fut dans sa jeunesse, et contre le gré de son père, un boxeur amateur au punch redoutable, mais il en explore aussi la face d'ombre. Une fois sa décision prise, Coleman a dû aller voir sa mère et lui dire en face l'insoutenable vérité : « La jeune femme qu'il avait épousée était blanche et juive, il lui avait fait croire qu'il était lui-même juif et que ses parents étaient morts. Ce qui signifiait concrètement qu'elle ne pourrait voir ses futurs petits-enfants que de loin, dans les lieux publics – la gare, le zoo ou Central Park – et sans jamais se faire reconnaître d'eux. Il l'assassinait. On n'a pas besoin de tuer son père. Le monde s'en charge. Il y a des tas de forces qui guettent le père. Le monde va lui faire son affaire, et il l'avait faite, en effet, à M. Silk. Celle qu'il faut assassiner, c'est la mère. Et il était en train de s'y employer, lui, l'enfant qu'elle avait aimé comme elle l'avait aimé. Il l'assassinait au nom de son exaltante idée de la liberté ! » La liberté, en d'autres termes, n'est pas un laisser-aller. Il faut de l'héroïsme à l'égoïsme qu'elle réclame. Et la rupture des liens affectifs se révèle bien plus astreignante que le défi jeté à la Loi. Coleman va jusqu'au bout mais il est dévasté par la douleur atroce qu'il inflige et par le sacrifice monumental qu'il s'impose en brisant toutes les chaînes de l'hétéronomie.

Le lecteur assidu de Philip Roth, cependant, s'interroge : si cet arrachement demande un tel effort, s'il faut tant de violence et de souffrance pour accéder au rang de sujet souverain, pourquoi risquer de tout compromettre en se constituant une identité juive ? Celui qui dit « Je suis juif » ne se place-t-il pas automatiquement sous la tutelle tatillonne de « Nous, les Juifs », et, comme le montre le premier récit attribué par Philip Roth à Nathan Zuckerman, *L'Écrivain des ombres*, n'encourt-il pas les foudres de cette communauté écorchée vive quand il refuse de s'en faire le porte-parole ? Pour avoir, dès sa première nouvelle, transgressé le devoir de faire corps avec les siens, le tout jeune romancier a été traité de renégat et formellement accusé d'avoir donné la caution de son talent et de son nom aux pires poncifs de l'antisémitisme. Il a cru pouvoir échapper, par la littérature, au partage du monde entre « nous » et « eux, les goys » et il a vu ce qu'il lui en coûtait. Coleman Silk se serait-il fourvoyé ? Non, car il est noir. Et, pour les Noirs, les Juifs sont d'abord des non-Noirs, c'est-à-dire des goys. Des goys pas tout à fait comme les autres, des goys qui, dans les années cinquante du XXᵉ siècle, étaient perçus comme plus libéraux, plus tolérants, plus accueillants que les autres. Là Coleman risquait moins que partout ailleurs de se retrouver dans l'infernale situation de rencontrer le racisme sans pouvoir se découvrir. Et du côté d'Iris, il était tranquille : anarchistes et yiddishophones, les parents de sa promise jeûnaient une fois l'an, et ce n'était pas pour Yom Kippour, c'était pour commémorer l'anniversaire de l'exécution de Sacco et Vanzetti.

Coleman a donc opéré un véritable coup de force individualiste, et il a réussi : il s'est évadé de sa prison raciale sans tomber sous la férule d'une nouvelle et harcelante tribu. Mais il n'avait pas compté, lui, le pionnier du *je,* avec un autre *nous* : « Le *nous* qui est inévitable ; l'instant présent, le lot commun, l'humeur du moment, l'état d'esprit du pays, l'étau historique qu'est l'époque où chacun vit. » Ce *nous* l'attendait au tournant et l'a fait trébucher en l'inculpant de racisme, lui dont la vie tout entière était une protestation contre *la stigmatisation et la désindividualisation racistes des hommes.* Et ce qu'il constate, à cette occasion, c'est que « raciste, on ne le devient pas comme ça du jour au lendemain, on est découvert subitement, mais on l'est depuis toujours. Ce n'est pas comme si on avait fait une gaffe, une fois, quand on est raciste, c'est qu'on l'a toujours été. Tout d'un coup, on devient un raciste de la première heure ». Il en va donc du raciste aujourd'hui comme, hier, de l'objet du racisme. Ce ne sont pas ses actes ni même ses pensées qui sont criminels, c'est son être. Quoi que dise, quoi que fasse ou qu'ait fait l'accusé, il est raciste à perpétuité, il est raciste de la naissance à la mort. Un déterminisme implacable l'enferme dans son concept,

159

sans échappatoire possible. Aussi libre qu'il se veuille, l'individu en lui ne dépasse jamais sa qualité de représentant d'une espèce nuisible. Il n'est pas sujet, il est assujetti, rivé à son appartenance, voué à la répétition, enraciné dans le mal. Le *R* de « Raciste » est sa lettre écarlate et cette lettre est indélébile. La faute dont il répond révèle la tare qui l'afflige. Quant à ceux que le raciste en question aurait blessés, ils ne veulent surtout pas être reconnus pour *qui* ils sont : *ce qu'*ils sont suffit à leur bonheur. Leur hâte à porter plainte contre un professeur qui n'a jamais eu l'occasion de les évaluer ou même de les distinguer trahit leur vrai désir : être jugés, appréciés et dédommagés non sur leur mérite, mais sur leurs racines ou sur leur couleur. Ils ne défendent pas la liberté, ils la fuient et cherchent à se faire dispenser de toute responsabilité individuelle en se réfugiant dans le cocon d'une identité collective.

Il n'y a pas de cause plus juste que celle de l'égale dignité des personnes ; il n'y a pas de nécessité plus impérieuse que d'opposer une fin de non-recevoir à toute définition politique, philosophique, scientifique ou religieuse de l'humanité dont certaines communautés ou certaines cultures se retrouveraient exclues ; il n'y a donc pas de combat plus légitime que le combat contre les discriminations raciales. Mais, comme le montre la mésaventure de Coleman Silk, les bons sentiments sont parfois l'alibi du ressentiment, et nous voici conduits à faire, avec le professeur honni, ce constat désespéré : l'esprit antiraciste qui souffle sur les campus à l'aube du nouveau millénaire n'abroge pas l'esprit de persécution mais le ravive. La Bête a été terrassée ; ce qui rend néanmoins l'air du temps si difficilement respirable, c'est la ressemblance entre la bonne pensée triomphante et les mauvaises pensées frappées d'opprobre.

Grâce à la rencontre miraculeuse de Faunia, Coleman Silk a cru pouvoir bifurquer à nouveau en rompant avec cet ultime avatar du *nous* et avec la volonté aliénante de le combattre, de lui répondre, de lui damer le pion. Il connaissait, « par la colère d'Achille, la fureur de Philoctète, les fulminations de Médée, la folie d'Ajax, le désespoir d'Électre et la souffrance de Prométhée », les horreurs sans nombre qui se produisent « quand le paroxysme de l'indignation conduit à exercer des représailles au nom de la justice, et qu'on entre dans le cycle de la vengeance », et ce savoir lui redevenait soudain présent. Rien n'aurait raison de lui, a-t-il alors pensé, si, défection finale, il s'affranchissait du besoin d'avoir raison. Après avoir résilié son hérédité, il était prêt à abandonner une part devenue secondaire de lui-même pour exister en première personne et continuer à se forger son propre destin. Mais le *nous* de l'esprit du temps ne s'est pas laissé décramponner. Un jour, Coleman a reçu une lettre anonyme ainsi libellée :

Il est de notoriété publique
que vous exploitez sexuellement
une femme opprimée et illettrée
qui a la moitié de votre âge.

L'ancien doyen de l'université d'Athéna a tout de suite reconnu l'écriture de Delphine Roux, une enseignante française qu'il avait lui-même engagée et qui dirigeait maintenant le département de langue et de littérature. Elle était brillante, elle était cultivée, elle était cinéphile, elle avait consacré une thèse prévisiblement subversive à l'œuvre de Georges Bataille, elle faisait souffler sur le campus d'Athéna l'esprit sophistiqué de l'avant-garde parisienne et elle contribuait, avec son inimitable *french touch,* au remplacement de la grande promesse individualiste à laquelle Coleman avait voulu donner corps par l'arc-en-ciel des visions minoritaires. Quelque temps avant que n'éclate l'affaire, une étudiante nommée Elena Mitnick était venue la trouver en tant que présidente du département pour se plaindre des pièces d'Euripide que Coleman avait inscrites au programme de son cours sur la tragédie grecque. L'étudiante jugeait ces pièces « dégradantes pour les femmes ». Delphine Roux convoqua donc son collègue pour essayer d'arranger les choses avec lui. Mais la guerre éclata tout de suite. Coleman Silk : « Ma chère amie, ces pièces, j'ai passé ma vie à les lire et à y réfléchir. » Delphine Roux : « Jamais dans la perspective féministe d'Elena. » Coleman Silk : « Ni dans la perspective juive de Moïse. Pas même dans la perspective aujourd'hui si à la mode du perspectivisme nietzschéen. » C'est, en effet, un des paradoxes comiques de notre temps : Nietzsche a été bien malgré lui enrôlé par la critique de la domination et le militantisme égalitaire ; l'idée hyperdémocratique d'une équivalence de toutes les opinions, de toutes les interprétations se nourrit aujourd'hui de l'aristocratique refus énoncé et longuement argumenté par l'auteur du *Gai Savoir* de sacrifier la hiérarchie entre les êtres à l'universalité du vrai. Lorsque, le semestre suivant, une autre étudiante, « sidérée d'avoir découvert que, derrière son dos, le professeur Silk lui avait appliqué une odieuse épithète raciste en présence de ses camarades », s'était précipitée, au bord des larmes, dans le bureau de Delphine Roux, celle-ci, échaudée, ne voulut surtout pas rééditer sa première expérience. Elle savait que si elle faisait venir Coleman, il se

163

montrerait ironique et paternaliste. Elle soumit donc directement le problème au doyen de la faculté. Et quand, malgré les précautions prises par Coleman et Faunia pour ne donner prise à personne, Delphine Roux apprit l'existence de leur liaison, elle y vit aussitôt un nouvel avatar non plus racial mais sexuel du scandale multiforme de l'inégalité des conditions, et elle saisit sans hésiter l'occasion de réveiller l'hostilité contre l'ancien doyen.

Nous sommes en 1998, l'année où Bill Clinton, président des États-Unis d'Amérique, est accusé d'avoir menti sur ses relations avec une jeune stagiaire potelée : Monica Lewinsky. Faunia est à Coleman Silk ce que Monica est au locataire de la Maison Blanche : la femme par qui la persécution arrive. *« Did you have sex with this woman ? »* : Clinton doit répondre du crime d'adultère devant les représentants ulcérés de la majorité morale et l'affaire prend de telles proportions que Nathan Zuckerman en vient à imaginer « une banderole géante, tendue d'un bout à l'autre de la Maison Blanche comme un de ces emballages dadaïste à la Christo, et qui proclamerait : "ICI DEMEURE UN ÊTRE HUMAIN" ». Coleman, au même moment, subit l'anathème de la communauté universitaire d'Athéna. Les tourmenteurs du jeune Président et ceux du vieux doyen ne parlent pas le même langage. Les premiers, réactionnaires et puritains, fustigent la concupiscence, l'impureté, l'« incontinence charnelle » et, tel l'éditorialiste William F. Buckley, rêvent pour le coupable du supplice d'Abélard. Les seconds, progressistes, dénoncent l'oppression et toutes les injustices de l'ordre social. En d'autres termes, les ennemis de Bill Clinton et les ennemis de Coleman Silk sont ennemis les uns des autres, ils revendiquent des valeurs opposées, mais ce qui les rapproche, par-delà l'antagonisme, c'est le simplisme vertigineusement manichéen de leur engagement politique et moral. La disgrâce du professeur procède du même mécanisme mental que l'acharnement contre le chef de l'État. Et le premier, certes moins universellement exposé, éprouve le désagrément supplémentaire de voir se transformer en juges impitoyables ses défenseurs naturels.

Son avocat, Nelson Primus, un jeune homme grand, mince, souple et sportif, toujours impeccablement vêtu, lui suggère avec la condescendance de ses trente ans envers un vieil homme ridicule à qui un ersatz pharmaceutique a rendu sa virilité pour dix dollars la pilule, de mettre un terme à ses amours. « Coleman, Faunia Farley n'est pas de votre monde. » Et ce n'est pas tout, les enfants de Coleman lui font aussi la leçon. Ils l'ont soutenu au moment où éclatait son affaire politique, mais son affaire sexuelle, c'est une autre paire de manches. Ils sont indignés et, dans une extraordinaire inversion des rôles, ils deviennent des juges, des surmoi, les pères de leur père en somme. Et cette instance n'est pas seulement sévère (ce que Coleman peut comprendre) mais réductrice (ce qui l'accable). Le jour où il annonce à l'aîné, Jeff, qu'il a rompu avec la jeune femme « car il ne veut pas perdre ses enfants », son sage rejeton approuve et se dit soulagé qu'il n'y ait pas eu de répercussions. Répercussions de quoi ? demande son père – de l'avortement et de la tentative de suicide. Coleman est atterré. Cette grossesse comme ce geste désespéré sont pure invention. Faunia ne s'est pas fait avorter, Faunia n'a pas voulu mettre fin à ses jours. Il demande donc des éclaircissements à Jeff : d'où tient-il les nouvelles sensationnelles qu'il propage lui-même avec un si bel entrain ? Celui-ci répond, sur le ton las de l'évidence, qu'à Athéna ces événements étaient de notoriété publique : tout le monde savait.

Everyone knows : c'étaient les premiers mots de la lettre de Delphine Roux ; c'est le sinistre refrain de *La Tache*. *Everyone knows* : le poids du cliché s'abat sur la vie réelle. *Everyone knows* : un narrateur sans visage formate le monde

humain. *Everyone knows* : les hommes éman-
cipés de la tradition tombent sous la coupe de
l'opinion ; le vide laissé par le pouvoir manifeste
de la communauté est rempli par l'anonymat
du pouvoir social. Ce qui veut dire encore une
fois que, loin d'avoir desserré son emprise, le
nous s'est métamorphosé : devenu le *on*, il est
désormais omniprésent, écrasant, inéluctable. Et
Coleman constate avec effroi que les principes
éducatifs qu'il a mis en œuvre pour soustraire le
cœur et l'esprit de ses héritiers au règne du
Everyone knows n'ont servi rigoureusement à
rien : « Toute cette préparation à l'école, toutes
les lectures qu'on leur avait faites, des rayonnages
entiers d'encyclopédies, les révisions avant les
interrogations écrites, les dialogues, le soir, au
dîner, la sensibilisation sans fin, par Iris et par
lui, à la nature multiforme de la vie ; le passage
au crible du langage » – et voilà son enfant sur-
moïque et mièvre qui accepte comme vérités les
fantasmes hollywoodiens. *Everyone knows* ou le
fiasco spectaculaire de la culture. Ce n'est pas, si
l'on veut être précis, par l'inculture ou par la barbarie que la littérature est mise hors d'état d'agir,
c'est par la déferlante narrative, donc littéraire,
des préjugés et des poncifs qui donnent à chaque
époque sa physionomie, sa tonalité, sa cohérence.
L'Autre de la littérature tire sa force d'être une

167

autre littérature et de combler l'attente. L'éducation cède sans coup férir à la rumeur que le *kitsch* habille. Le sentimentalisme tient lieu de sensibilité et la digue du scepticisme tragique est emportée par la vague de l'*universel mélodrame*.

Le jour de l'enterrement de Coleman Silk, Nathan Zuckerman rencontre Ernestine, sa sœur noire. C'est elle qui lui révèle le grand secret, la *contrevie* choisie et façonnée avec une détermination implacable par cet homme pour lequel il s'était pris d'une amitié profonde et qu'il ne connaissait pas. Il découvre alors l'existence du père extraordinaire qui ne considérait pas l'anglais comme un instrument mais comme un patrimoine et qui avait veillé avec un soin jaloux à ce que ses enfants lui fassent honneur. Zuckerman apprend aussi que la résolution héroïque et effrayante de Coleman avait été rendue plus terrible encore par le caractère inconditionnel de l'amour que lui vouait sa mère : « Même sa décision de passer le reste de sa vie à affecter d'être aimé d'une autre femme, une mère qu'il n'avait jamais eue et qui n'avait jamais existé, même ça n'avait pas réussi à la libérer de lui. » Et quand, à son tour, Nathan explique à Ernestine les raisons de la démission de son frère et qu'il lui raconte l'affaire des *spooks*, elle n'en croit pas ses oreilles. L'idée de justice immanente ne lui traverse même pas l'esprit. Mérité le châtiment du fils prodigue ? Non, trivial, imbécile et révélateur des méfaits de la bien-pensance antiraciste. Autrefois, observe-t-elle, c'est-à-dire au temps de ses parents et encore du sien ou de celui de son interlocuteur, les échecs étaient mis sur le compte de l'individu. Aujourd'hui, ils sont imputables au *système*. La rectitude politique veut que l'homme soit originellement innocent et bon : si mal il y a, il procède de la société, c'est-à-dire de la domination. Parmi les formes de la domination, le racisme est la plus scandaleuse et la culture dite légitime, la plus insidieuse. Ainsi réussit-on le prodige de « mettre le Noir à toutes les sauces » et, dans le même temps, de criminaliser l'altérité en déclarant les auteurs de l'Antiquité trop difficiles, trop lointains, trop étrangers pour encombrer les classes. La plus petite dissemblance suscite la réprobation solennelle de ceux qui ne jurent que par les mots de « relation », de « diversité » ou d'« ouverture ». Maintenant, conclut Ernestine, « l'étudiant se prévaut de son incompétence comme d'un privilège. Je n'y arrive pas, c'est donc que la matière pèche ». Il était une fois l'école. Mais la même Ernestine, si clairvoyante et qui plaît tant à Nathan pour son didactisme, ne veut pas entendre parler de Faunia Farley. Il n'y a pas de place pour cette femme dans la biographie de son frère. Faunia Farley est inacceptable : la

169

double tyrannie des convenances et du cinéma l'exclut du paysage.

J'ai longtemps pensé que si, à partir de *Pastorale américaine*, Philip Roth avait fait de Nathan Zuckerman non plus le personnage principal de ses romans, mais un chroniqueur exclu de la turbulence de la vie par une opération du cancer de la prostate qui l'avait laissé impuissant et incontinent, c'était pour river leur clou à ses détracteurs. On lui reprochait avec insistance de ne jamais parler que de lui-même et d'écrire, sous le pavillon de complaisance du roman, l'autobiographie interminable de l'écrivain qu'il était. On ne voulait pas le croire quand il affirmait que son œuvre était non une confession à peine transposée, mais une exploration de l'existence et qu'il y avait autant d'*alter* que d'*ego* dans son *alter ego*, Zuckerman. Il avait beau tuer puis ressusciter son personnage, et le gratifier d'aventures qu'il n'avait lui-même jamais vécues, bref le lancer dans les infinies directions de sa vie possible, on restait dédaigneusement convaincu qu'il suivait la ligne unique de sa vie réelle. Rien ne pouvait plus efficacement désarmer la critique que de faire passer, d'un coup de bistouri, Nathan Zuckerman du statut de héros à celui d'oreille.

Étant donné le tempérament batailleur de Philip Roth, cette raison a dû jouer. Mais à la lecture de *La Tache*, j'en ai découvert une autre, plus profonde et plus décisive. Tout ce qui arrive nous parvient sous la forme de récits. Et ceux auxquels même les plus sophistiqués d'entre nous ajoutent foi, ceux que nous faisons spontanément pour mettre de l'ordre dans l'anarchie des événements, sont édifiants et rudimentaires. Nous sommes dès l'enfance des consommateurs insatiables et des producteurs incessants de fictions stéréotypées. Nous ne nous lassons pas de réduire les problèmes, les dilemmes et les casse-tête de l'existence à des scènes éblouissantes où le Bien affronte le Mal en combat singulier. Les contenus de ces deux notions changent, la structure demeure : c'est toujours saint Georges qui enfonce sa lance dans la gueule du dragon. Contre cet activisme romanesque, impétueux et monotone, il existe une instance d'appel : le roman. Le roman n'est pas une modalité parmi d'autres de la fable, il est la fable qui ne joue pas le jeu et qui, pour le dire avec les mots de Milan Kundera, déchire « le rideau magique tissé de légendes » suspendu devant le monde.

En confiant la narration de ses histoires post-zuckermaniennes à Nathan Zuckerman, Philip Roth personnifie ce geste salvateur. Il l'incarne. Il l'intègre à l'intrigue. Il lui donne une présence physique. L'art du roman entre dans le roman. L'invention se présente comme investigation, le récit se situe au même niveau que l'histoire et ce refus du surplomb est bien plus qu'un procédé ou qu'un stratagème. Le lecteur est ainsi confronté non seulement à la trame et au drame d'une vie mais à une lutte (dont l'enjeu est toute vie) entre l'imagination littéraire et les projections du réductionnisme moral. « *Because we don't know, do we ?* Qu'est-ce qui fait que les choses se passent comme elles se passent ? Ce qui sous-tend l'anarchie des événements qui s'enchaînent, les incertitudes, les accrocs, l'absence d'unité, les irrégularités choquantes qui caractérisent la liaison [...], on ne peut rien savoir. Même les choses que l'on sait, on ne les sait pas. Les intentions, les mobiles, la logique interne, le sens des actes ? C'est stupéfiant, ce que nous ne savons pas. Et plus stupéfiant encore, ce qui passe pour savoir. » Nous ne savons pas. Mais surtout, nous ne savons pas que nous ne savons pas. Nous croyons savoir. L'ignorance n'est pas un vide, c'est un trop-plein de scénarios et de certitudes. Il faut donc la dégonfler. C'est ce à quoi s'emploie le narrateur de *La Tache*. Sans l'entremise de Zuckerman, Philip Roth aurait fait surgir Faunia Farley du néant. En passant par son

172

personnage fétiche, il met en scène l'imagination elle-même et non comme l'apanage des créateurs ou comme une faculté purement esthétique, mais comme un outil herméneutique, comme la seule arme dont nous disposions pour résister aux images que le pseudo-savoir ne cesse de produire. Le pseudo-savoir de Delphine Roux et de son féminisme abstrait. Le pseudo-savoir aussi de Coleman Silk dont les confidences ont permis à Nathan Zuckerman de faire le portrait de Faunia, mais qui était lui-même dans l'erreur. Le jour de leurs funérailles, Nathan découvre que l'un et l'autre jouaient la comédie. Elle, c'était la comédie de l'illettrisme ; lui, la comédie de la couleur de peau. Ils étaient tous deux des acteurs et des déserteurs. Coleman avait voulu fuir le diktat de ses origines ; Faunia, plus radicale encore, avait voulu échapper à la culture. Sans illusion sur ses congénères, elle leur préférait même la compagnie des corneilles : « Une corneille en particulier qui avait été recueillie par la SPA locale et qui répondait au nom de Prince. » Pourquoi cette corneille ? Parce qu'elle est l'ambassadrice de la nature, ce paradis d'où l'homme a été chassé ? Non justement. Prince est un oiseau cruellement inadapté. Quand il veut quitter sa cage et va se percher sur un arbre, les autres corneilles l'attaquent et il doit donc précipitamment battre en retraite pour échapper au massacre. « Voilà ce qui arrive, dit Faunia, quand on a été élevé par l'homme. Voilà ce qui arrive quand on a traîné toute sa vie avec des individus comme nous. C'est la souillure de l'homme. [...] Nous laissons une souillure, nous laissons une trace, nous laissons notre empreinte. Impureté, cruauté, sévices, erreur, excrément, semence – on n'y échappe pas en venant au monde. [...] La souillure est en chacun. À demeure, inhérente, constitutive. [...] C'est pourquoi laver cette souillure n'est qu'une plaisanterie. Et même une plaisanterie barbare. Le fantasme de la pureté est terrifiant. Il est dément. Qu'est-ce que la quête de la purification, sinon une impureté de plus ? »

Dans ce soliloque crucial, Faunia Farley congédie d'un seul tenant les deux visions de l'origine qui se disputent le cœur battant du *Everyone knows* : le mal et la pastorale, le péché et l'innocence, saint Augustin et Jean-Jacques Rousseau. La tache n'est pas une sanction, c'est un fait. Elle est là. Elle n'attend ni grâce ni rédemption, mais qu'on y acquiesce comme à une modalité de notre condition. Il est dangereux de vouloir la faire partir au nom de la vertu ou de la vocation surnaturelle de l'homme ; il est ridicule de la nier au nom de la bonté supposée de l'homme naturel. Ce n'est donc pas pour rejoindre un monde immaculé que Faunia se détourne de la culture et va même se fiancer avec Prince en glissant dans sa cage la bague que Coleman lui a offerte, c'est parce qu'elle ne veut plus rien avoir à faire avec les croisades purificatrices que la culture entreprend, encourage ou entérine. Il est étrange que ce soit Faunia, plutôt que Coleman le professeur de littérature grecque ou Nathan le romancier, qui tienne ce discours et qui aille jusqu'à penser que la mythologie qui conçoit Zeus à l'image de l'homme est plus sage que la Bible et son fantasme outrecuidant d'un homme fait à l'image de Dieu. Elle qui a été souillée par son beau-père n'est-elle pas la dernière personne à pouvoir parler d'une souillure constitutive ? Tous les malheurs de cette héroïne de Dickens égarée dans un roman de Philip Roth ne découlent-ils pas des sévices dont elle a été victime ? N'est-elle pas plus fondée à porter le deuil de son innocence saccagée qu'à suivre l'exemple des Grecs de Coleman et à se réconcilier, contre la tentation de la démesure, avec l'imperfection originelle ?

Cette objection vaudrait si Faunia Farley n'avait rencontré, dans tous les milieux et sous toutes ses formes, l'hypocrisie, c'est-à-dire la dissimulation de la tache, et si son mari ne lui avait

fait subir la violence infernale de sa colère purifi-
catrice. Lester Farley était rentré d'une guerre
que l'Amérique avait perdue, qui lui faisait
honte, que ne commémorait aucune *Iliade* mais
un long mur avec le nom des soldats tués et
dont l'un des principaux architectes, Robert
McNamara, avait écrit dans ses Mémoires :
« Nous n'avons pas su reconnaître que dans les
affaires internationales comme dans les autres
aspects de notre vie, il peut exister des problèmes
sans solution immédiate. Pour quelqu'un dont la
vie tout entière a été consacrée à la solution des
problèmes, c'est une vérité très dure à admettre.
Il faut parfois composer avec un monde imparfait
et impur. » Ainsi, les *best and brightest* de l'Amérique des années soixante et soixante-dix en
sont-ils venus à adopter la sagesse abrupte de
Faunia Farley, vingt ans après, et pour solde de
tout compte. Mais Lester Farley ne peut, lui, se
payer le luxe de cette tardive prise de conscience.
La guerre au Vietnam, il ne l'a pas construite, il
ne l'a pas modélisée, il l'a faite et elle l'a défait. Il
lui faut des coupables. La rage de cet Achille pan-
telant demande un exutoire. Ce sera donc
l'épouse maudite qui, dit-il, s'envoyait en l'air
quand ses enfants brûlaient, et le vieux professeur juif qui forme avec elle un couple éhonté.
Au volant de son pick-up, il fonce, une nuit, tous

feux allumés, sur leur voiture et il les oblige, pour l'éviter, à verser dans le ravin. Voilà en tout cas ce que découvre Nathan Zuckerman au moment où « chacun sait » et va répétant que l'automobile que conduisait Coleman a quitté la route pendant et parce que sa maîtresse lui faisait une fellation !

Tout s'éclaire, donc. Mais il faut prendre garde à la lumière. Un danger guette le lecteur de *La Tache* : s'installer confortablement dans la vérité que délivre Faunia quand elle s'adresse à la corneille et en tirer une leçon unilatérale. Cette vérité, en effet, n'est pas facile. Car le désir de pureté a plus d'un tour dans son sac. Coleman, par exemple, en est la cible mais n'a-t-il pas, lui-même, voulu laver la tache de sa naissance ? Son pari ne consistait-il pas à renaître *pur* de toute ascendance ? Et cette ascèse évoque a contrario les dernières pages de *La Contrevie*. Dans une lettre à sa femme anglaise, Marie, qui ne veut pas qu'une coutume barbare mutile l'enfant qu'elle désire, Nathan Zuckerman oppose le rituel de la circoncision à toutes les formes que peut prendre le refus de l'histoire : « La circoncision affirme sans équivoque que tu es ici et pas là et aussi que tu es à nous et pas à eux. On n'y échappe pas : tu entres dans l'histoire par mon histoire et par moi. La circoncision est tout ce que la pastorale n'est pas et, à mon sens, elle conforte le sens du monde, qui n'est pas celui d'une unité sans conflit. » La pastorale, c'est le rêve d'une vie idylliquement naturelle ou intégralement maîtrisée. Mais, écrit Nathan, être circoncis, c'est perdre tout ça : « Les valeurs humaines, qui ont la main lourde, te tombent dessus d'emblée et marquent tes génitoires de leur sceau. »

« Il n'y a plus ni Juif ni Grec », annonçait, au tout début de notre ère, saint Paul. Pour ne pas laisser les hommes en proie aux charmes de la pastorale tomber dans l'oubli total de leur condition, Philip Roth a choisi d'être les deux : *et juif et grec;* juif dans *La Contrevie*, grec jusqu'à la parenté assumée avec le furieux Achille et la célébration de Zeus le débauché dans *La Tache.*

Mais il n'en reste pas là. Dans la toute dernière scène du livre, Nathan Zuckerman, en chemin vers la maison d'enfance de Coleman où il a invité Ernestine, remarque un pick-up gris avec son autocollant Prisonniers de guerre/Portés disparus – « celui de Lester Farley, pas de doute ». Il fait marche arrière, il se gare à côté de ce véhicule isolé et il se met en marche vers le lac gelé au milieu duquel, penché au-dessus d'un trou dans la glace, pêche tranquillement le personnage de son livre qu'il n'a encore jamais rencontré : « Je me retrouvais, sans aucun titre à ma présence, sur un des territoires les plus purs, les plus originels, les plus inviolés, les plus sereins qui entourent les lacs et les étangs de Nouvelle-Angleterre et qui vous donnent, justifiant la prédilection que l'on a pour eux, une idée du monde avant l'avènement de l'homme. » Le mot *pur* n'est pas ici employé en mauvaise part. Le monde d'avant l'avènement de l'homme est indispensable à l'homme. Et quand, après une conversation inquiétante et lourde de sous-entendus, Nathan Zuckerman quitte le pêcheur qui ne s'est jamais identifié mais qui était sans conteste Lester Farley, il n'est pas très rassuré. Une fois sur la berge, il se retourne pour voir si l'autre ne l'a pas suivi afin de lui faire son affaire et ce qui s'offre à lui, c'est la vision « pure », « paisible » et « si rare en cette fin de siècle », « d'un homme solitaire, assis sur un seau, pêchant à travers quarante-cinq centimètres de glace, sur un lac qui roule indéfiniment ses eaux au sommet d'une montagne arcadienne en Amérique ».

Menteuse merveille, fallacieuse Arcadie, tableau enchanteur et trompeur : l'homme solitaire, assis sur un seau, est un assassin. Faunia avait raison. La souillure est universelle et omniprésente. Mais cette confirmation n'a plus rien de militant. Elle n'apporte, cette fois, aucun réconfort. Et l'ultime image de *La Tache* est d'autant plus poignante qu'elle attente irrémédiablement à la beauté silencieuse d'un paysage admirablement pur.

Bibliographie

Philip ROTH, *La Tache*, traduit de l'américain par Josée Kamoun, Gallimard, 2002

—, *L'Écrivain des ombres*, traduit de l'américain par Henri Robillot, Gallimard, 1981

—, *La Contrevie*, traduit de l'américain par Josée Kamoun, Gallimard, 2004

HOMÈRE, *Iliade*, traduit du grec par Paul Mazon, Gallimard, 1975

Alexis DE TOCQUEVILLE, « Position qu'occupe la race noire aux États-Unis ; Danger que sa présence fait courir aux Blancs », in *De la démocratie en Amérique*, Robert Laffont, collection « Bouquins », 1986

Jean PIC DE LA MIRANDOLE, « Discours sur la dignité de l'homme », in *Œuvres philosophiques*, PUF, 1993

Milan KUNDERA, *Le Rideau*, Gallimard, 2005

Robert MCNAMARA, *In Retrospect. The tragedy and lessons of Vietnam,* Random House, 1995 ; *Avec le recul. La tragédie du Vietnam et ses leçons,* traduit de l'américain par Paul Chemla, Éditions du Seuil, 1996

La tragédie de l'inexactitude

Lecture de *Lord Jim*,
de Joseph Conrad

C'est en 1872 que Teodor Konrad Korzeniowski exprime, pour la première fois, son sou-
hait d'être marin. Il a quinze ans et, ballotté
depuis sa naissance entre Berditchev, Jitomir,
Vologda, Tchernigov, Lvov et Cracovie, il n'a
encore jamais vu la mer.

Zdzislaw Najder, le meilleur biographe de
celui qui allait devenir Joseph Conrad, soutient
que ce désir insolite et même incongru n'était
pas tout à fait sans exemple. À cette époque de
grandes conquêtes et d'ultimes découvertes, le
temps du monde fini n'avait pas encore commencé et « les terres lointaines exerçaient sur les
jeunes esprits une fascination considérable »
même dans les pays que leur géographie tenait à

l'écart de toute vocation maritime. On comptait des explorateurs polonais, tels Pawel Edmund Strzelecki, grand cartographe de l'Australie, Sygurd Wisniowski qui fit deux fois le tour du monde à la voile, ou encore Jan Kubary, vétéran de l'insurrection de 1863 qui naviguait sur les îles du Pacifique afin de recueillir des matériaux pour les expositions d'un grand musée de Hambourg. Il n'empêche : quand le jeune terrien se déclare, son entourage tombe des nues. « Vous avez entendu ce que dit ce garçon ? Qu'est-ce que c'est que cette extraordinaire fantaisie ? » se demandent son oncle et son tuteur. Rien ne les préparait à l'annonce d'une telle vocation. Son père, mort trois ans plus tôt, s'était dévoué corps et âme à la cause de la patrie polonaise. Il avait écrit des pièces de théâtre, des poèmes, des essais dont le plus célèbre – *La Pologne et Moscou* – décrivait la Russie tsariste comme une incarnation moderne de la barbarie asiatique et byzantine ; il avait traduit Alfred de Vigny et Victor Hugo ; il avait pris part à la vie politique de son pays, il avait été emprisonné, il avait été exilé ; mais il n'avait jamais abandonné le combat : quand il parlait de l'océan, c'était pour en faire une métaphore de la nation indomptable.

« Pareille au Peuple, la mer écume et s'élance
Et jamais ne désarme. Ce n'est pas en vain
Que certains guettent au loin
Le retour de la marée... »

Et ce guetteur infatigable avait aussi le souci de la transmission : « L'un de mes principaux objectifs, confiait-il, est de faire de mon petit Konrad non pas un démocrate ou un aristocrate, un démagogue, un républicain ou un monarchiste, pas davantage qu'un serviteur ou un laquais de ces partis, mais un bon Polonais. » Un bon Polonais, pas un bon navigateur.

Les exécuteurs testamentaires d'Apollo Korzeniowski assignent donc au précepteur de Conrad la mission impérative et confidentielle de le remettre dans le droit chemin. Ce qu'il tente de faire lors de longues vacances passées à visiter l'Europe, en profitant de tous les tête-à-tête dans les restaurants ou dans les trains pour raisonner son pupille. Mais c'est peine perdue. L'adolescent chimérique ne lâche rien. Alors, épuisé par ce vain combat contre une idée fixe, à bout de patience et d'arguments, le précepteur s'exclame : « Vous êtes un incorrigible et désespérant don Quichotte, voilà ce que vous êtes ! »

Incorrigible, en effet, Conrad quitte, deux ans plus tard, Cracovie pour Marseille et, après avoir beaucoup navigué, il obtient à Londres, en 1886, le brevet de capitaine au long cours. Mais il n'est pas pour autant insensible au plaidoyer de ceux qui ont essayé sans succès de le faire renoncer à sa lubie. Dans ses *Souvenirs,* il évoque le destin de son grand-oncle qui, combattant aux côtés des Français pendant la campagne de Russie, avait dû se résoudre à faire gibier d'un chien et à le dévorer. Cette transgression alimentaire lui inspire une irrépressible terreur et un insurmontable dégoût, mais c'est à Napoléon qu'il en veut, non à son aïeul : « Ce grand capitaine demeure moralement répréhensible d'avoir induit un naïf gentilhomme polonais à manger du chien, en lui mettant au cœur la fausse espérance de l'indépendance nationale. Ç'a été le sort de cette nation crédule, de mourir de faim pendant plus de cent ans, avec un régime de fausses espérances et, ma foi oui, de chien. » Et lui, le fils d'un grand fils de la Pologne, lui, l'enfant chéri d'Apollo Korzeniowski qu'un cortège composé de plusieurs milliers de personnes avait pieusement raccompagné jusqu'à sa dernière demeure, qu'a-t-il fait pendant ce temps-là ? Eh bien, il a pris le large, il est devenu marin et même marin anglais, non certes comme le lui a reproché une célèbre romancière de l'époque, Eliza Orzeszkowa, par opportunisme, mais pour vivre son rêve. Conrad n'a pas choisi le luxe et les commodités de l'Angleterre impériale quand la Pologne ployait sous le joug. Il n'a pas fui pour le confort son pays réduit à la dernière extrémité. Plus mystérieusement, il a troqué le chien pour la vache enragée et la grande fringale patriotique pour « des repas fantastiques de viande salée et de durs biscuits sur la haute mer ». Il a su ce que c'est d'être affamé, il a connu « le goût du requin, du tripang, du serpent, de plats impossibles à décrire qui contenaient des choses sans nom ». Est-il, de ce fait, un don Quichotte ? Peut-être, mais, comme le laisse entendre son précepteur, il ne peut, sauf à tomber dans la mauvaise foi, ériger ce donquichottisme en défense passionnée de la morale chevaleresque dans un univers sordidement livré à l'envie et au calcul. L'incontournable comparaison entre le sort des siens et les épreuves qu'il a traversées lui interdit de faire le fier. Sa conduite étrange éclaire même d'un jour inédit celle de son glorieux modèle : « L'hidalgo chevauche, la tête auréolée d'un halo, saint patron de toutes les existences gâchées, ou sauvées, par la grâce irrésistible de l'imagination. Mais ce ne fut pas un bon citoyen. » Ce fut même, eu égard aux exigences concrètes du monde, une espèce de déserteur.

Joseph Conrad ne fait pas acte de contrition ou de repentance. Il ne reprend pas à son compte les accusations lancées contre lui par les farouches gardiens de l'intégrité nationale polonaise. Plongé dans la perplexité par l'exclamation désabusée de son précepteur, il en a, peu à peu, tiré la conclusion que l'alternative entre l'amour inaltérable de l'idéal et la conversion goguenarde ou résignée au monde tel qu'il va n'épuisait pas la richesse du roman fondateur de Cervantès. Une autre dimension de l'existence, une autre problématique s'y laisse entrevoir : *la trahison idéaliste du monde réel*. Et, plutôt que de battre sa coulpe, Conrad a voulu donner corps à cette possibilité humaine : il a créé Lord Jim.

Fils de pasteur, né et élevé dans un presbytère, c'est-à-dire dans un lieu réglé, tranquille, où rien n'arrive à l'improviste et où règne une atmosphère de rectitude sans faille, Jim découvre sa vocation de marin en dévorant des romans d'aventure. Ceux-ci agissent sur lui comme les récits de chevalerie sur l'homme de la Manche. La tête farcie d'ouragans et de gloire, il quitte la ville de piété et de paix où officie son père, car il ne lui suffit pas d'être le lecteur des histoires qui l'enchantent, il veut en devenir le héros. Il sort de son cocon biblique pour atteindre cette terre promise de l'intensité : la mer. Il s'élance hors de chez lui afin de mettre sa vie au diapason des livres, il rêve de sauver les passagers de navires qui sombrent, de tenir tête à des sauvages sur les rivages tropicaux, de soutenir le courage d'hommes désespérés dans leur frêle esquif ballotté sur l'océan. En jeune homme romantique, Jim choisit d'obéir aux impulsions du cœur plutôt que d'écouter la voix de la raison, mais le cœur, pour lui, comme pour les Anciens, n'est pas seulement le siège du sentiment, c'est d'abord l'organe de la vaillance, du devoir, de l'honneur, la partie impétueuse de l'âme qui aspire à l'exploit et qui court au-devant des plus grands périls. Jim n'est pas un aristocrate, il vient d'un milieu modeste, et il est trop imprégné par l'idée d'égalité des conditions pour voir dans la noblesse le privilège exclusif de l'aristocratie : plébéien, il veut être noble, c'est-à-dire prouver, et d'abord à lui-même, qu'il l'est. Il rejette donc avec hauteur toute perspective casanière et s'en va faire ses classes sur un bateau à vapeur de la marine marchande. Au bout de deux années d'apprentissage, il prend la mer, mais lorsqu'il pénètre enfin dans ces régions familières à son imagination, il les trouve singulièrement vides d'aventures. Il connaît d'abord la monotonie de la vie entre le ciel et l'eau et l'austérité prosaïque des tâches quotidiennes. Une fois seulement, il est confronté à la violence d'une tempête, mais celle-ci n'a pas la consistance d'un ennemi identifiable. Il est blessé par la chute d'un espar, et déposé dans un port d'orient où sa guérison est si lente que le navire doit repartir sans lui. Remis sur pied, il embarque en tant que second à bord du *Patna*, « un vapeur vieux comme le monde, efflanqué comme un lévrier et plus marqué de rouille qu'une vieille citerne désaffectée ». Au milieu d'une traversée sans histoires, alors que le navire fendait le calme des eaux « sous l'inaccessible sérénité du ciel » et que Jim, en proie à des rêveries héroïques et à toutes sortes d'élans généreux, réfléchissait voluptueusement à sa qualité d'être supérieur, un choc se produit ; il perd l'équilibre et il constate, un peu plus tard, qu'une brèche s'est ouverte sous la ligne de flottaison. Le naufrage lui apparaît inéluctable et imminent. C'est la nuit. Les huit cents pèlerins musulmans que le navire doit débarquer dans un port d'Arabie dorment paisiblement, les uns contre les autres, sur le pont. Ils s'en sont remis à l'équipage et Jim, qui voit la catastrophe venir, n'ose pas les réveiller de peur de provoquer une panique incontrôlable. Interdit, prostré, il regarde l'adipeux capitaine et ses mécaniciens qui s'efforcent de détacher un canot et de déguerpir avant qu'il ne soit trop tard. Une fois à la mer et tandis que le ciel se fait menaçant, les fuyards appellent frénétiquement leur complice, mais ils ne savent pas que celui-ci a succombé à une crise cardiaque. C'est Jim qui finit par sauter à sa place dans le canot et, comme il le dit lui-même, « dans les profondeurs d'un abîme éternel ».

Il n'a été à la hauteur ni de sa mission ni de son fantasme. Il se préparait à une action d'éclat et, au moment crucial, il a perdu pied, il a rejoint dans la disgrâce les marins sans foi ni loi autres que celles du vouloir-vivre. Il se destinait à briller au milieu des mers, et le voici marqué d'une tache indélébile. L'épopée a viré au désastre. L'attente du haut fait a fini par accoucher d'un comportement piteux et, qui plus est, banal. Pendant ce temps-là, la cloison tenait bon, contre toute vraisemblance : une canonnière française a donc remorqué le *Patna* et les confiants voyageurs que Jim, certain du naufrage, avait laissés tomber ont été conduits, sains et saufs à bon port. Ce dénouement inattendu qui plonge les complices de Jim dans l'embarras le met, lui que la distinction obsède, à la torture. Se sentant atrocement coupable, il est certes soulagé d'apprendre que le pire a été évité, mais il est aussi accablé par la révélation qu'il est passé à côté du meilleur. « Plus de peur que de mal », se dit-il, tout en mesurant, avec consternation, le mal que lui a fait la peur à l'aune des conséquences mémorables qu'aurait eu la décision de ne pas sauter par-dessus bord. Il a agi comme on agit toujours, *en méconnaissance de cause*, dans une sorte de clair-obscur, sans avoir tous les éléments en main, et maintenant qu'il connaît la fin, maintenant qu'un passé péremptoire a fait table rase de la multiplicité des possibles, il enrage d'avoir laissé échapper le premier rôle dans le roman que devait être sa vie en prenant pour la grimace carnassière de l'océan le sourire que, sans en avoir l'air, lui adressait la fortune. Non seulement il a trahi son serment de marin, mais il a raté le coche. En plus d'avoir commis une faute, il a gâché une chance. À l'heure du bilan, il n'est pas moins tourmenté par le regret de son *fiasco narratif* que par le remords de son *effondrement moral*.

Jim est traduit en justice mais, avant même d'entendre le verdict, son contradicteur intime, « le copropriétaire de son âme », le condamne à une double peine et remue interminablement le fer du dépit aventureux dans la plaie de la mauvaise conscience. « Quelle occasion manquée ! Bon Dieu, quelle occasion manquée ! » murmure-t-il, honteux et furieux, devant Marlow, l'homme à qui Conrad délègue le récit de cette histoire après les quatre premiers chapitres, c'est-à-dire quand s'arrête le roman policier car les faits sont connus ainsi que l'identité de leurs auteurs, et que commence l'exploration de la véritable énigme. Jim a sombré dans l'irréversible pour n'avoir pas su répondre à l'imprévisible. L'aventure lui a fait des offres de service, et ce cœur vaillant, imbu d'histoires et de situations plus palpitantes, plus redoutables, plus extraordinaires les unes que les autres, les a déclinées. Il savait qu'il n'y avait pas de prouesses douillettes et que, pour parler comme Jankélévitch, « c'est la mort, en fin de compte, qui est le sérieux en tout aléa, le tragique en tout sérieux, et l'enjeu implicite de toute aventure ». Ses rêves étaient autant d'exercices spirituels qui le préparaient à regarder la mort en face. Ses songeries romanesques faisaient de lui un familier de l'exception et un dompteur de l'effroi. Mais ce qu'il découvre, quand survient le moment de vérité, c'est que l'effroi se manifeste en mettant le grappin sur le rêve et en débridant l'inspiration. Muse exubérante, scénariste fiévreuse, la peur lui montre « les horreurs de la panique, le désordre et la bousculade, les hurlements pitoyables, les canots prenant l'eau, tous les affreux détails d'un désastre en mer… ». Et comme rien ne bouge après le choc, il a le temps de se représenter en détail « la montée soudaine du sombre horizon, le soulèvement rapide de la vaste plaine liquide, la secousse brutale, l'étreinte de l'abîme, la lutte sans espoir, le ciel étoilé se fermant à jamais sur sa tête comme le couvercle d'une tombe, la révolte de son jeune sang, la fin sinistre ».

Peut-être Jim aurait-il su reprendre ses esprits, c'est-à-dire arracher son imagination aux griffes de la peur et reconnaître l'épreuve qui venait à lui, si, comme il le confie à Marlow, le coup avait été régulier. Or, tel n'avait pas été le cas. Un choc sourd dans le silence de la nuit sur une mer immobile, cela ne fait pas une aventure.

Rien ne s'est déroulé comme prévu. Mais n'est-ce pas cela précisément l'aventure : le non-déductible, la mise en échec conjointe du calcul et du rêve ; un moment de la vie qui n'est au programme ni des casaniers ni des cascadeurs ; une occurrence qui déjoue les précautions et qui trompe l'attente ; un événement qui déborde toute préfiguration ; un hôte qui vient sans s'annoncer ; une incartade de l'être ; la désobéissance des choses à la volonté comme à la représentation ? Idéaliste au sens tout à la fois moral, romanesque et philosophique du terme, Jim est distrait de l'aventure par le concept d'aventure et ses innombrables variations fantasmatiques.

Déjà sur le bateau où il faisait ses classes, l'ordre avait été donné, en pleine tempête, d'armer le canot pour secourir le caboteur qui avait heurté une goélette à l'ancre, et Jim était resté inerte. Il avait, en effet, la tête ailleurs. Il pensait à autre chose. À quoi ? À l'aventure. Et quand, sorti enfin de son rêve éveillé, il se décida à sauter dans le canot, la main du capitaine s'abattit sur ses épaules : « Trop tard, mon petit ! » Il était donc resté sur le pont, penaud, déconfit et fâché contre ce déchaînement de la terre et du ciel qui ne s'était pas fait annoncer, qui ne ressemblait à aucun de ses songes et dont l'irruption intempestive avait déloyalement frustré son généreux désir d'actes périlleux.

Tandis que, en lieu et place des grandes batailles auxquelles il se préparait, don Quichotte était régulièrement confronté à la *trivialité* de la réalité tangible, c'est la *transcendance* du réel, son étrangeté irréductible qui déconcertent le donquichottisme de Jim. L'imagination du sublime caballero était plus riche et plus belle que ce que le monde avait à offrir, celle du rêveur des mers, plus pauvre. Cervantès inaugure le roman moderne au sens que lui donne Hegel d'un conflit entre la poésie du cœur et la prose des circonstances. Avec cette méditation sur *Don Quichotte* qu'est *Lord Jim*, une autre intrigue, un autre paradigme vient au jour : la déconstruction du grand fantasme théorique et lyrique d'une subjectivité absolue, totalisante et surplombante qui ne se heurte à rien qu'elle n'ait anticipé, à rien qui lui soit extérieur.

« Se mettre en avance ; se mettre en retard : quelles inexactitudes ! Être à l'heure : la seule exactitude », écrit magnifiquement Péguy. Deux fois, Jim s'est mis en retard parce qu'il s'était mis en avance. À deux reprises, l'aventure a failli, sans y réussir, interrompre son rêve d'aventure, l'effraction a échoué, il a manqué d'à-propos, il a été absent au présent même qu'il appelait de ses vœux. Il avait quitté le foyer paternel pour que son existence soit la rencontre d'un destin et non l'accomplissement méthodique d'un dessein pré-établi, mais ce destin hors norme, il ne l'a pas laissé venir, il l'a laissé filer en voulant lui donner figure. Âme ouverte au jamais vu, âme captive de ses projections et de ses simulacres : cette antino-mie a fait de Jim le martyr de l'esprit de l'escalier, le héros tragique de l'inexactitude.

La terre de l'homme, dit Kundera dans *L'Insoutenable Légèreté de l'être*, est *la planète de l'inexpérience* : « Tout est vécu tout de suite pour la première fois et sans préparation. Comme si un acteur entrait en scène sans avoir jamais répété. Mais que peut valoir la vie si la première répétition de la vie est déjà la vie même ? [...] *Einmal ist keinmal*. Une fois ne compte pas. Une fois n'est jamais. Ne pouvoir vivre qu'une vie, c'est comme ne pas vivre du tout. » Jim aurait été aux anges, en effet, s'il avait pu refaire son entrée ou, pour le dire d'une autre métaphore, s'il lui avait été donné de corriger son premier jet et de remettre un manuscrit présentable en lieu et place du brouillon indigne sur lequel on allait le juger. Mais ce que l'on fait sans savoir, en tâtonnant, *au pif*, ne peut être défait. La planète de l'inexpérience est aussi la planète de l'irrévocable.

Inexpérience, cependant, ne veut pas dire ingénuité. Nul n'aborde le monde avec des yeux absolument neufs. Les mots précèdent les choses ; les récits, les événements. Et Conrad suggère dans *Lord Jim* qu'on n'est jamais assez naïf, jamais assez disponible, jamais assez innocent pour l'expérience, et que le pathétique de la condition humaine consiste moins tant dans le fait de tout vivre pour la première fois que dans l'absence d'une première fois véritable. On arrive sur scène en ayant déjà répété. On a des répliques et des personnages plein la tête, mais le texte de la pièce ne correspond qu'exceptionnellement à celui que nous soufflent le rêve, la sagesse, la mémoire, l'histoire et toutes les pensées qui battent la campagne ; on est, le plus souvent, à côté de la plaque, on se fourvoie, on fait faux bond à cela même que l'on croit et que l'on veut le plus ardemment rejoindre. Le monde est indocile. La réalité excède perpétuellement l'image qu'on en forme ou l'idée qu'on s'en fait. Les circonstances les plus décisives n'ont presque jamais la tête de l'emploi.

« Il ne faut pas oublier que l'Occupation a été *quotidienne* », écrit Sartre, avec une rare lucidité, en 1945 : « Quelqu'un a qui on demandait ce qu'il avait fait sous la Terreur répondit : "J'ai vécu…" C'est une réponse que nous pourrions tous faire aujourd'hui. Pendant quatre ans, nous avons vécu et les Allemands vivaient aussi, au milieu de nous, submergés, noyés, par la vie unanime de la grande ville. » Certes, ce *nous* excluait les Juifs et les combattants de l'armée des ombres. Mais Sartre souligne, à juste titre, que les occupants et les occupés n'étaient pas séparés par une barrière de feu : « La foule s'ouvrait et se refermait sur leurs uniformes, dont le vert passé faisait une tache pâle et modeste, presque attendue, au milieu des vêtements sombres des civils. Et puis, les mêmes nécessités quotidiennes nous frottaient à eux, les mêmes courants collectifs nous ballottaient, nous roulaient, nous brassaient ensemble : nous les pressions dans le métro, nous les heurtions dans les nuits sombres. » Là où la collision aurait dû se produire, la collusion de la promiscuité régnait : « Il s'était établi à la longue une sorte de solidarité honteuse et indéfinissable entre les Parisiens et ces troupiers si semblables, au fond, aux soldats français. Une solidarité qui ne s'accompagnait d'aucune sympathie, qui était faite plutôt d'une accoutumance biologique. Au début leur vue nous faisait mal et puis, peu à peu, on avait désappris à les voir, ils avaient pris un caractère institutionnel. Ce qui achevait de les rendre inoffensifs, c'était leur ignorance de notre langue. J'ai entendu cent fois, au café, des Parisiens s'exprimer librement sur la politique à deux pas d'un Allemand solitaire, attablé, les yeux vagues, devant un verre de limonade. » Bref, il y avait quelque chose d'étrangement non tempétueux dans le désastre qui s'était abattu sur la France. La vie aurait dû s'interrompre. Mais elle ne l'a pas fait. Tout continuait, tout fonctionnait, la routine amortissait jusqu'à le faire oublier le grand choc initial. L'extraordinaire ne dérangeait rien, ou presque, de l'affairement ordinaire. La violence se fondait sans faire de bruit dans le paysage familier. Pour parler comme Jim, le coup n'était pas régulier. L'Ennemi, la Défaite, l'Asservissement ne correspondaient pas à leur essence ; un halo de banalité les enveloppait : c'est l'une des raisons pour lesquelles tant de Français anesthésiés ont manqué leur rendez-vous avec la Résistance ou bien sont arrivés en retard. Sartre lui-même a voulu rattraper le temps perdu *en s'engageant*, c'est-à-dire en choisissant de guerroyer après guerre. « Vaillant mais distrait, comme le remarque très justement Régis Debray, il a traversé les années noires sans coup férir. Aurait-il, sinon, déchargé sa mitraillette après la bataille en terrorisant tout son petit monde par des prises d'armes à retardement ? »

Sartre n'est pas seul en cause. Ceux qu'il terrorisait pratiquaient, sans se faire prier, le terrorisme intellectuel. Nous-mêmes, la première génération de l'Europe post-hitlérienne, nous avons voulu en 1968 renverser en faveur de l'homme de désir la traditionnelle hiérarchie de la raison et des pulsions. Mais, en dépit de notre dualisme affiché, nous n'avons jamais oublié cette troisième composante de l'âme – le cœur, au sens de courage, de colère, d'ardeur impétueuse. Il ne nous suffisait pas d'être et d'affirmer notre être, nous brûlions d'être à la *hauteur*. Vivre sans temps morts, jouir sans entraves – oui, sans doute, mais surtout nous voulions gagner notre droit de vivre en nous hissant au niveau de ceux qui, juste avant notre venue au monde, avaient dû affronter les tempêtes de l'Histoire. Obsédés par ce paroxysme, nostalgiques de la bravoure sans phrase, nous repeignions frénétiquement l'apothéose festive des Trente Glorieuses aux couleurs de l'Occupation et nous nous grisions d'affronter l'hydre fasciste sans cesse renaissante. Nous dénoncions, en baby-boomers impatients, les multiples formes du refoulement sexuel, mais les héritiers du siècle des révolutions, des guerres et des activités clandestines que nous étions aussi ne pouvaient pas abandonner, sans coup férir, la vérité de l'existence aux concepts freudiens. Tout en opposant, avec Marcuse, les vertus d'Éros aux rigueurs de la civilisation, nous pensions avec Sartre que « le secret d'un homme, ce n'est pas son complexe d'Œdipe, c'est son pouvoir de résistance aux supplices et à la mort ». Un rêve héroïque d'ouragans et de grands périls redoublait notre révolte hédoniste contre le poids des conventions et le corset des bienséances. De là notre véhémence éperdue quand nous scandions : « CRS – SS » ou « Nous sommes tous des Juifs allemands ! » Nos valeureux continuateurs font pareil. Ces citoyens du numérique, c'est-à-dire d'une planète virtuelle, malléable et sans frontières, ont tendance à ne voir dans toute opposition au grand mélange universel que le retour ou la survivance des vieux démons identitaires qui ont ravagé l'Europe au siècle dernier. Et leur intraitable « Plus jamais ça ! » diagnostique dans tout effort pour maîtriser l'immigration un symptôme flagrant de pétainisme.

À l'heure de l'épreuve, l'agitation quotidienne dissimulait la présence du mal absolu. Aujourd'hui, l'illusion du mal absolu camoufle les véritables enjeux de la réalité quotidienne. Don Quichotte, pas mort ! Mais il n'y a plus de Cervantès pour le remettre à sa place et pour démystifier ses glorieuses certitudes. C'est peut-être cela, la société postlittéraire ou le monde d'après le roman : un monde peuplé d'Emma Bovary sans Flaubert, d'enfants de don Quichotte sans Cervantès et de moulins à vent allégrement confondus avec la Bête immonde.

Jim, au moins, ne se paie jamais de mots. Il veut vivre au-dessus de lui-même mais il ne saurait se contenter, pour ce faire, de faux-semblants et de pseudo-tourmentes. À la différence du nôtre, son donquichottisme ne souffre ni la contrefaçon ni même l'approximation. Il ne tombe pas dans la facilité d'assouvir son rêve en se mentant à lui-même. Et quand il se réveille, c'est le chevalier en lui qui demande des comptes. Privé par la sentence de son grade et de sa fonction, il obtient grâce à Marlow des postes de courrier maritime qu'il accueille comme « une expiation pour avoir été assoiffé de plus de gloire qu'il n'était capable d'en assumer » mais qu'il abandonne l'un après l'autre, dès qu'il rencontre quelqu'un qui, sans nécessairement le reconnaître, a eu vent de son affaire. Nul, sur la terre habitée, ne semble ignorer ce secret qu'il aurait pu aussi bien « porter en bandoulière ». Le fantôme d'un fait le poursuit en tout lieu et semble le condamner au vagabondage à perpétuité. Vagabondage inutile, au demeurant, car, comme le lui dit Marlow, l'oubli lui est impossible : « Ce n'est pas moi ni le monde qui nous souvenons, c'est vous qui vous souvenez. »

Mais voici que Marlow consulte en dernier recours son ami Stein, haut dignitaire du grand négoce de l'Extrême-Orient. Celui-ci possède au Patousan un comptoir dont il a confié la direction à Cornelius, un Portugais de Malacca marié à une femme de sang hollandais et maltais qu'il avait lui-même aimée jadis. Maintenant que cette femme est morte, Stein propose à Jim de prendre la relève. Le monde alors se mondialise à grands pas. Mais le Patousan, que les admirateurs de Conrad situent quelque part sur la côte est de Bornéo, est resté à l'écart de l'arraisonnement général. Ce n'est pas une terre inconnue, mais c'est une terre hors circuit, négligée par l'esprit de conquête. Par l'intermédiaire de Stein, autrement dit, le destin déroge à la grande loi de l'existence et fait à Jim la fleur d'une deuxième fois. Un lieu lui est offert, indemne de son passé, de cette maudite affaire, de ce spectre qui le poursuit partout, un lieu lointain, exotique (au sens virginal que ce

203

mot est en train de perdre) où il pourra être ce qu'il montrera de lui-même et *rien d'antérieur*. Jim n'hésite pas une seconde : en dépit ou à cause du danger, il met, à sauter sur l'occasion, l'ardeur et la présence d'esprit qui lui ont fait cruellement défaut quand, tel un somnambule, il a sauté dans le canot. Et il saisit admirablement sa chance : homme sans ombre dans ce pays perdu aux confins des forêts tutélaires, il devient vite *Tuan*, c'est-à-dire *Lord* ou *Gentleman* Jim. Après avoir pacifié le Patousan qui était en proie aux luttes endémiques de factions rivales, il devient l'ami de Doramin, le chef de l'une des tribus, et de Dain Waris, son fils adoré. Il s'attache, par surcroît, l'amour de la belle-fille de Cornelius, Jewel.

À l'opposé des colons qui, parvenus *au cœur des ténèbres*, perdent pied et s'enfoncent dans une violence sans limites, Jim soumet le Patousan à l'équilibre des forces et aux formes de la loi. Il commande, mais, comme sur un navire, son commandement est une responsabilité et cette responsabilité, une sujétion. Marlow le constate : « Tout ce qu'il avait conquis : confiance, réputation, amitiés, amour, toutes ces choses qui avaient fait de lui un chef, avaient aussi fait de lui un captif. »

Au Patousan, Jim se réconcilie peu à peu avec lui-même. Et rien, ni la tentation du retour vers

204

le monde qu'il a quitté, ni l'attente de l'événement révélateur ne le détourne de sa tâche. Il a vaincu la peur, son rêve est devenu réalité et cette réalité l'accapare entièrement. Il n'a plus la tête dans les nuages, il est arrivé à l'heure au rendez-vous de la dernière chance et il tient à le rester. On ne voit guère, dans ces circonstances, ce qui pourrait le faire, une nouvelle fois, sombrer dans l'inexactitude.

C'est alors que surgit, à bord d'une goélette volée, *Gentleman* Brown, renégat de la marine anglaise et ravageur fameux des côtes de Polynésie. Il a fait au Patousan une escale de rapine et de brigandage. Mais la retraite lui étant coupée, le pirate se retranche derrière un promontoire. Le hasard veut que Jim soit alors absent. À son retour de l'arrière-pays, il va à la rencontre de Brown. Celui-ci, qui est encerclé, lui demande de le laisser partir libre et Jim finit par accepter car Brown, qui ignore tout de son histoire, trouve, avec une pertinence quasi diabolique, les mots inexorables qui l'y ramènent : « Je suis sûr que votre vie ne vaut pas mieux que la mienne. J'ai vécu, vous aussi ; bien que vous affectiez d'appartenir à cette catégorie d'êtres qui devraient avoir des ailes pour pouvoir se déplacer sans effleurer la crasse de la terre. Eh oui ! Il y a beaucoup de crasse, ici-bas. Et je n'ai pas d'ailes ! » Et Brown touche plus juste encore lorsqu'il demande à Jim « avec une sorte de franchise rude et désespérée » si lui-même ne comprend pas que « lorsqu'on en arrive à sauver sa peau dans la nuit, on ne se préoccupe pas de savoir combien d'autres meurent – trois, trente ou trois cents personnes ».

Décontenancé et comme envoûté par l'évocation de cette souillure commune, de cette solidarité dans la disgrâce, Jim rend les armes : comment pourrait-il disposer de la vie d'un ennemi qui vient de lui démontrer qu'il est son égal, son semblable, son frère en turpitude ? Le bienfaiteur du Patousan transmet donc la consigne de ne pas s'opposer à la retraite des pirates.

Dès lors, tout se passe très vite, comme dans un cauchemar. Brown qui est la proie d'un ressentiment plus fort que l'intérêt se venge de ce geste d'humanité et de l'humanité elle-même en assassinant les guerriers chargés d'observer son départ. Dain Waris figure parmi les victimes de cet étalage de barbarie inutile. Jim comprend que tout lui échappe et qu'il a encore trahi la confiance des hommes. Sa magnanimité n'est pas moins calamiteuse que ne le fut sa lâcheté. Sa rédemption débouche tragiquement sur une récidive. Mais, au moins, cette fois-ci, il ne se sauvera pas dans la nuit. Le souvenir honteux que Brown avait ramené à la surface lui dicte sa conduite : sourd à toutes les objurgations, il comparaît devant Doramin prêt et sans arme. Le vieillard silencieux tire à bout portant sur l'ami de son fils : « On dit que le Blanc jeta à droite et à gauche sur tous ces visages un regard fier et impavide. Puis ayant porté une main à ses lèvres, il tomba en avant, mort. »

Jim ne tergiverse pas, il est ponctuel. Mais quelle inexactitude ! Pour finir *en beauté*, il livre sans combattre ses proches à la vindicte du peuple traumatisé et il s'arrache à l'étreinte de celle qu'il avait solennellement juré de ne jamais abandonner. Pour ne pas rater sa sortie, il oublie de tenir parole et commet une succession d'infidélités. Vivre, c'est se raconter ce qu'on vit : en allant au-devant d'une mort certaine, Jim veut écrire lui-même le dernier mot de son histoire. En se sacrifiant, il ne choisit pas de s'effacer mais de s'approprier l'instant ultime. Sa fin doit être son point final, son châtiment doit être son œuvre, sa disparition doit coïncider avec son apparition en pleine lumière. L'essentiel pour lui étant de se racheter à ses propres yeux, c'est, comme le dit Marlow, à l'appel de son « égocentrisme exalté » qu'il répond « me voici » et non à la prière des êtres dont il a la charge et qui l'implorent de ne pas les laisser seuls.

Mais ni l'ultime regard de Jim ni la conclusion de Marlow ne sont le dernier mot du roman. Il n'y a pas de dernier mot. Marlow lui-même le confesse : « Le dernier mot n'a pas été dit – ne le sera probablement jamais. Nos vies ne sont-elles pas bien trop brèves pour nous permettre d'exprimer jusqu'au bout ce que nos bégaiements s'évertuent inlassablement à exprimer ? J'ai renoncé à entendre ce dernier mot, dont le son, si l'on pouvait seulement le prononcer, ébranlerait la terre et le ciel. » C'est précisément pour acclimater le lecteur à cette absence que Conrad a choisi, comme après lui Philip Roth, de donner à son récit la forme du témoignage. Dieu s'est tu, nul ne le remplace. Marlow ne surplombe pas son sujet. Homme parmi les hommes, il multiplie les approches, les questions, les hypothèses. Sa narration interrogative ne vient pas à bout de l'énigme de ce « cœur insondable ». Il n'est sûr de rien, sinon d'une chose qu'il répète avec insistance : Jim est l'un des *nôtres*.

Qu'entend-il par là ? Qui sont les nôtres ? Les Blancs ? On est tenté de le penser quand on entend Marlow dire que Dain Waris, si aimé, respecté, admiré qu'il fût, n'avait pas la réputation de posséder un pouvoir invincible : « Il restait l'un des *leurs*, alors que Jim était l'un des *nôtres.* »

Mais il est clair que pour Marlow, Cornelius, l'autre Blanc de l'île, est indigne de cette appellation. S'agit-il alors de la confrérie des marins ? Pas davantage. Car ni Brown ni le capitaine adipeux du *Patna* ni leurs équipages ne sont, pour Marlow, « des nôtres ». Ne relèvent de cette chevalerie officieuse que les individus qui veulent donner forme à leur identité et non lui donner libre cours, qui s'efforcent de ressembler à ce qu'ils souhaitent être plutôt que de régler leur apparence sur leur être profond. La vérité leur importe au plus haut point mais « vrai », pour eux, ne veut pas dire « naturel », la vérité qu'ils recherchent se confond avec la valeur et la valeur se révèle dans l'épreuve. Souvent ils échouent, ils s'égarent, ils négligent, au profit de l'idéal qui les hante et de la figure à laquelle ils travaillent, les obligations qu'ils ont contractées dans le monde réel. Mais ce qu'ils représentent dans l'univers démocratique et psychologique des subjectivités déliées de leur rôle institutionnel, de leur rang social ou de leur inscription généalogique, c'est la persistante aspiration à la noblesse.

Bibliographie

Joseph CONRAD, *Lora Jim*, traduit de l'anglais par Odette Lamolle, Éditions Autrement, 1996

—, *Des souvenirs*, traduit de l'anglais par G. Jean-Aubry, Éditions Sillage, 2005

Zdzislaw NAJDER, *Joseph Conrad. Biographie*, traduit de l'anglais par Christiane Cozzolino et Dominique Bellion, Criterion, 1992

Vladimir JANKÉLÉVITCH, *L'Aventure, l'ennui, le sérieux*, Aubier, 1963

Milan KUNDERA, *L'Insoutenable Légèreté de l'être*, traduit du tchèque par François Kérel, Gallimard, 1989

Jean-Paul SARTRE, « Paris sous l'Occupation » et « La République du silence », in *Situations*, tome III, Gallimard, 1976

Régis DEBRAY, *Loués soient nos seigneurs. Une éducation politique*, Gallimard, 1996

L'enfer de l'amour-propre

Lecture des *Carnets du sous-sol*, de Fédor Dostoïevski

La littérature européenne commence donc par une querelle. Mais, comme le remarque Kundera, « l'idée ne vient pas à Homère de se demander si, après leurs nombreux corps à corps, Achille ou Ajax avaient gardé toutes leurs dents. Par contre, pour don Quichotte et pour Sancho, les dents sont un perpétuel souci, les dents qui font mal, les dents qui manquent. "Sache, Sancho, qu'un diamant n'est pas aussi précieux qu'une dent." ». Aussi charnels, aussi concrets, aussi turbulents et imparfaits soient-ils, les héros et les dieux grecs n'ont pas de caries ni d'abcès dentaires. Et c'est avec Cervantès que ces petits problèmes font leur entrée dans le grand art. L'inspiration romanesque rompt alors avec la traditionnelle séparation des styles et se préoccupe soudain des dents qui tapissent (ou désertent) les bouches des personnages. Les destins ordinaires et l'ordinaire de tous les destins, les vies modestes et le caractère quotidien de la vie sortent de l'insignifiance. Le règne de l'idéalisme narratif s'achève : le dédain de la pastorale ou de l'épopée pour les considérations terre à terre n'emporte plus l'adhésion. Aucun personnage, même le plus sublime, n'a désormais le pouvoir ou le privilège de s'absoudre des tracas de la condition commune. Au lieu d'être perçu comme la négation du sérieux, le trivial est exploré comme une dimension essentielle de l'existence. La muse de Cervantès accueille la contingence que les autres rejetaient ou reléguaient dans les genres mineurs. Et au lieu d'élever ses héros au-dessus de la prose des jours, cette muse met son point d'honneur à les y inscrire.

Mais ce point d'honneur n'est pas le seul fait du roman. La déclaration de don Quichotte à Sancho Pança pourrait même être inscrite au fronton des Temps Modernes. Lui fait écho, par exemple, et sur un mode beaucoup plus méthodique, la promotion par Descartes de « la conservation de la santé » au rang de « premier bien » et « fondement de tous les autres en cette vie ». Le cogito veut des résultats et la modernité tout entière se retrousse les manches : la prose est son élément, le travail, sa vocation. À la contemplation ou à la prière, elle préfère le geste *réparateur* ; et aux deux grandes formes – religieuse et philosophique – du soin de l'âme, les soins médicaux, notamment dentaires. S'affranchissant de toute intimidation par les vertus classiques – la charité et la magnanimité – une civilisation érige l'intérêt, c'est-à-dire le désir éminemment pratique d'améliorer son sort, en guide légitime de l'action humaine. Un nouveau régime normatif s'instaure : l'utilité. Le Souverain Bien lui-même se veut désormais réaliste.

On décrit souvent les grands mouvements révolutionnaires du XIXᵉ siècle et du XXᵉ siècle comme des « religions séculières ». On voit dans le communisme notamment l'effort surhumain ou inhumain pour réaliser ici-bas les promesses du messianisme. Mais on oublie ce que l'idée du plus grand bien-être pour le plus grand nombre doit à la définition specifique moderne, matérielle et mécréante de l'homme par le calcul des plaisirs et des peines. Bref, à l'âge moderne, la prose est omniprésente. Elle occupe toutes les régions de l'être et toutes les instances du temps : le réel comme l'idéal, le passé comme le présent et l'avenir.

La poésie n'est pas restée sans réaction devant cet impérialisme. Elle a voulu rendre à la sensibilité son prestige perdu et contre la philosophie qui, selon les termes de Keats, « replie les ailes de l'ange, soumet tous les mystères à la norme et à la ligne droite, fait le vide dans l'espace habité, chasse les gnomes de la mine, effiloche l'arc-en-ciel », elle a pris hardiment le parti devenu donquichottesque du monde tel qu'il s'offre au regard : ce fut le romantisme. Mais une autre protestation a surgi, de l'intérieur : une révolte en prose contre la prose au pouvoir. Ce fut Dostoïevski et, plus précisément, ce petit roman haletant et crucial : *Les Carnets du sous-sol.* Son narrateur, qui est aussi le personnage principal et dont nous ne connaîtrons jamais le nom, habite une chambre sale, délabrée, aux confins de Saint-Pétersbourg. Il occupait dans l'administration le poste très subalterne d'assesseur de collège, mais, profitant de l'héritage d'un parent éloigné, il a donné sa démission et, terré dans son coin, il se consacre continûment à ce qui est depuis toujours son activité favorite : parler au mur. Après un an de ce soliloque convulsif, il décide de prendre la plume et de s'expliquer par écrit avec tous ses interlocuteurs imaginaires. Décision qui serait banale si l'homme du sous-sol entrait dans le sanctuaire de la vie de l'esprit dépouille de ses

214

humeurs et de ses aigreurs. Mais tel n'est pas le cas. Avec lui, tout se mélange dans un vacarme incessant Ce philosophe énergumène gémit et grince en même temps qu'il théorise. Il ne peut argumenter sans exhiber frénétiquement ses plaies. Jamais son corps et ses tracas ne laissent son âme en repos ; jamais sa pensée ne s'affranchit de sa psyché, ni sa psyché de son habitacle charnel. Jamais sa subjectivité ne s'efface devant ses idées. Les convictions qu'il défend et les raisonnements qu'il élabore sont impurs, pantelants, mal embouchés et mal débarbouillés. Il commence d'ailleurs sa profession de foi par ces mots : « Je suis un homme malade, je suis un homme méchant. » Et pour lui, comme pour Cervantès, les dents ont une importance capitale : « J'ai eu mal aux dents tout un mois, je sais ce que c'est. » Mais ce n'est pas l'illusion idéaliste que cette prose souterraine, à la différence de celles qui l'ont précédée, prend pour cible ; c'est l'illusion réaliste véhiculée par la *prose du sol* : « Je vous en prie, Messieurs, prêtez une fois l'oreille aux gémissements d'un homme cultivé du XIXᵉ siècle qui souffre des dents depuis deux ou trois jours [...]. Ses gémissements se font mauvais, rageurs, ils ne cessent plus, ni le jour ni la nuit. Il sent lui-même pourtant qu'*ils ne lui sont d'aucune utilité*. Mieux que quiconque, il

215

sait qu'il irrite son entourage et le torture et se torture lui-même sans profit aucun. Il sait que le public et la famille devant lesquels il s'escrime n'éprouvent plus que du dégoût pour ses plaintes, n'y croient plus et comprennent qu'il pourrait gémir autrement, plus simplement, sans toutes ces roulades, sans toutes ces poses, et qu'il exagère par malice, par méchanceté... Eh bien! C'est justement dans cette humiliation parfaitement clairvoyante que gît la volupté. "Ah! Je vous dérange, je vous déchire le cœur, j'empêche de dormir toute la maison. Eh bien, tant mieux! Ne dormez donc pas! Rendez-vous bien compte que j'ai mal aux dents! Je ne suis plus pour vous ce héros que je prétendais être; je ne suis qu'un vilain bonhomme, qu'un chenapan! Tant mieux! Je suis heureux même que vous m'ayez enfin deviné! Mes misérables gémissements vous sont pénibles à entendre? Tant pis! Je vais vous lancer une roulade plus belle encore!..." »

Qu'ils tablent sur l'harmonie spontanée des intérêts, ou qu'ils échafaudent des programmes éducatifs et politiques pour réaliser leur harmonisation, les Modernes se croient lucides. Ils aiment à se dire qu'ils ne sont pas nés de la dernière pluie et que la crédulité n'est pas leur fort. Ils se font gloire de regarder en face l'inglorieuse réalité humaine. Ils s'émerveillent de ne pas être bêtes, c'est-à-dire de ne pas succomber à l'émerveillement, ils se félicitent de leur perspicacité, ils s'enorgueillissent de prendre l'homme comme il est et de ne jamais bâtir de châteaux en Espagne. Ils laissent les romans aux enfants de tous âges, les faits seuls les intéressent. Et pourtant ces pragmatiques sans état d'âme vivent dans l'illusion, ces clairvoyants ont la berlue, leur positivisme est aussi candide et peut-être plus dangereux que l'angélisme ou le spiritualisme qu'ils dénoncent. Ils ne voient pas la différence pourtant abyssale entre la volonté – ou, comme on dirait aujourd'hui, le désir – et l'intérêt.

La volonté, dit l'homme du sous-sol, ne relève pas davantage du principe d'utilité que de la grandeur d'âme. Elle n'est pas noble, mais elle n'est pas non plus bourgeoise. Imprévisible et insaisissable, elle est aussi réfractaire aux préceptes de l'intérêt qu'aux maximes du désintéressement. Et comme elle ne calcule pas, elle ne peut être calculée. Rien ne discipline ce cheval fou : ni l'altruisme ni l'égoïsme, ni la loi qui commande ni la loi qui décrit, ni l'impératif catégorique ni la nécessité scientifique. « L'important est que deux et deux font quatre et tout le reste n'est que du vent », disent, après Bazarov, le personnage principal de *Pères et fils* de Tourgueniev, tous les ennemis déclarés des chimères métaphysiques, tous les « réalistes pensants » qui entreprennent de *désillusionner* l'utopie en bâtissant la société du printemps perpétuel sur la vérité la plus élémentaire et la plus incontestable : l'appétit du bien-être. « Mais, quoi qu'il en soit, deux fois deux : quatre est une chose bien insupportable. Deux fois deux : quatre, à mon avis, respire l'impudence. Deux fois deux : quatre nous dévisage insolemment. Les poings sur les hanches, il se plante au milieu de notre route, il nous crache au visage. J'admets que deux fois deux : quatre est une chose excellente, mais s'il faut tout approuver, je vous dirai que deux fois deux : cinq est aussi parfois une petite chose bien charmante », répond l'homme du sous-sol. Et, ultime défi à la prose de ceux qui ont les pieds sur terre : « Pourquoi êtes-vous si inébranlablement, si solennellement convaincus que seul est nécessaire le normal, le positif, le bien-être en un mot ? »

Depuis Dostoïevski, l'existence du souterrain a été reconnue, l'irréductible puissance de la volonté est apparue en pleine lumière, elle est même – avec Freud – entrée dans les conversations. Mais si les esprits puritains ont été confondus, les Bazarov, eux, n'ont pas cédé d'un pouce, comme en témoigne notamment *Le Livre noir de la psychanalyse*, toute récente offensive comportementaliste contre cette exploration au long

218

cours de la différence entre l'intérêt et la volonté qu'est l'entreprise freudienne : « Si raconter sa vie ou se remémorer ses rêves n'est pas d'une grande utilité pour soigner un problème de dents, une cure psychanalytique n'est pas plus efficace pour traiter un problème sexuel. Un bon dentiste posera d'abord un diagnostic précis, ensuite il traitera la dent pour soulager la douleur, réparer ce qui peut l'être et changer ce qui est nécessaire. »

Face à cet utilitarisme inoxydable et compte tenu des ravages causés, tout au long du XXᵉ siècle, par les mécaniciens de l'espèce humaine, la tentation est grande de saluer dans l'homme du sous-sol le dénonciateur prémonitoire des grands et des petits délires de la Raison : « Vous croyez au palais de cristal, indestructible pour l'éternité, auquel on ne pourra tirer la langue ni montrer le poing en tapinois. Eh bien, moi, si je me méfie de ce palais de cristal, c'est peut-être justement parce qu'il est en cristal et indestructible et parce qu'on ne pourra pas lui tirer la langue même en tapinois. » Inhumaine, autrement dit, est la tentation de réglementer l'idylle et de confier le destin de l'homme à la logique quand bien même il s'agirait de la logique matérialiste des besoins. S'il est vrai que toutes les prisons ne sont pas, loin de là, des phalanstères, tous les phalanstères sont des prisons.

Admirable réquisitoire. L'homme du sous-sol cependant ne s'y laisse pas réduire. Sa prose est irrécupérable, même par lui. Après avoir prêché ce qui peut nous apparaître comme la bonne parole au sortir du siècle cristallin de l'homme nouveau et de la chimère monstrueuse d'une solution réaliste à tous les problèmes de la vie, le discoureur se fait narrateur et rapporte les épisodes les plus marquants, c'est-à-dire les plus grotesques de son existence. Il ressort de ces péripéties que ce qu'il y a en lui de rebelle est aussi ce qu'il y a de pitoyable et d'odieux. On le tenait pour un héritier de Diogène, hirsute, sauvage, libertaire, ou pour un devancier d'André Breton proclamant dans *L'Amour fou* : « Foin de toute captivité, fût-ce aux ordres de l'utilité universelle... » ; il se révèle comme un martyr de l'aliénation. On prenait, avec lui, le parti de la vie tumultueuse ou capricieuse contre les esprits pratiques et leur réductionnisme militant : on constate qu'il a découvert la *formule de l'invivable*. On croyait qu'il défendait la belle cause de la volonté indomptable et voici qu'il en dévoile la suffocante laideur. Il témoigne d'une vérité plus profonde que sa philosophie pourtant si convaincante.

Que veut l'homme du sous-sol ? Surgir en pleine lumière et triompher : « Je suis seul tandis qu'ils sont tous. » Il prend donc appui sur la littérature – Byron, Pouchkine, Lermontov – pour imaginer des situations où il sort soudain de l'obscurité, où ses mérites sont reconnus, où l'univers entier lui fait fête : « Tous se prosternent devant moi dans la poussière et sont obligés d'admirer mes perfections, mais je pardonne à tout le monde. Étant poète et chambellan, je devins amoureux ; je reçois d'innombrables millions dont je fais aussitôt cadeau au genre humain, tout en confessant devant le peuple assemblé toutes mes "ignominies" qui ne sont évidemment pas des ignominies ordinaires, mais qui contiennent toujours quelque chose "de beau, de sublime", quelque chose de byronien, dans le genre de Manfred. Tous pleurent et m'embrassent (ils auraient été des imbéciles s'ils ne l'avaient pas fait), et moi, pieds nus et affamé, je m'en vais prêcher les idées nouvelles et je défais complètement les rétrogrades à Austerlitz ! Ensuite, on joue une marche : Amnistie générale. Le Pape consent à quitter Rome pour le Brésil. Puis, bal pour toute l'Italie à la Villa Borghèse, celle qui se trouve sur le lac de Côme, car le lac est transporté dans les environs de Rome, spécialement pour cette occasion. » L'homme du sous-sol ne cherche pas le confort, il se rêve en héros. Le fantasme de gloire est, chez lui, le deuil divaguant du bonheur. Et la réalité ne cesse de contredire, de bafouer, de ridiculiser cette divagation sans jamais parvenir à y mettre fin. Un soir ainsi, passant devant un café, il assiste à une bataille à coups de queues de billard. Il entre alors dans le café moins tant par désœuvrement et par curiosité que pour *faire partie de l'histoire*. Mais il subit l'inverse : le calvaire de l'inexistence. Ni héros ni victime ni comparse ni même témoin, il n'importe pas, il *n'imprime pas*, les Autres n'enregistrent pas sa présence, il n'a pas d'emploi dans leur intrigue, il n'accède pas à la dignité de personne : « Je me tenais auprès du billard et, ne connaissant rien au jeu, je gênais les joueurs. Voulant passer, l'officier me prit par les épaules et sans une explication, sans un mot, il me déplaça et passa comme si je n'existais pas. J'aurais pardonné des coups, mais ce que je ne pus supporter, c'est qu'il m'eût déplacé en silence. » Lui qui aurait tout donné pour une querelle littéraire, il se trouve banni de l'intersubjectivité même, il est réduit à l'état d'insecte : « On avait agi avec moi comme avec une mouche. » Et cette mouche vrombit pendant des mois et même des années de scènes de vengeance. Sa haine ne s'estompe pas avec le temps, elle devient, au contraire, plus âpre et plus intense. Car il voit cet officier, quand il se promène sur la perspective Nevski. Il le voit,

chaque fois, céder le pas à tous les hauts personnages et contraindre, en fonçant droit devant lui,
le menu fretin à s'écarter de sa route. Une idée
germe alors dans le cerveau de l'homme dont
aucune aventure ne veut et que son insignifiance
met au supplice : ne pas s'effacer, avancer comme
l'officier et obliger ainsi cette « force qui va » à
prendre acte physiquement de son existence. Il
s'achète donc un chapeau, des gants noirs, il
s'endette pour pouvoir remplacer le col en raton
de son manteau par un col en castor. Bref, il gravit
les échelons vestimentaires qui le séparent de son
ennemi. Ces préparatifs terminés, il se lance et,
après quelques essais infructueux, il réussit à ne
pas dévier, à ne pas faire un pas de côté : les deux
hommes se cognent épaule contre épaule. L'officier ne détourne pas la tête et fait semblant de
n'avoir rien remarqué. Mais c'est faux ! Les représailles ont eu lieu : « J'avais sauvegardé ma
dignité, je ne lui avais pas cédé d'un seul pouce, et
je l'avais obligé à me traiter publiquement sur un
pied d'égalité ! » jubile l'homme du sous-sol.
Mais la jubilation n'est pas totale car il a bien
conscience – c'est même tout le sens de son
aveu – que l'exploit dont il s'enivre est un événement infinitésimal.

Et ses autres entreprises sont de la même veine.
Il se rend un jour, pour briser sa solitude, chez

Simonov, le seul condisciple avec lequel il ait gardé un lien. Il le trouve en pleine discussion avec deux autres camarades d'école. Personne ne fait attention à lui, ni Simonov qui ne le voit que de loin en loin ni ses amis qui avaient de lui un souvenir exécrable. Une nouvelle fois, il fait l'expérience de sa propre annulation. Les trois complices préparent un dîner d'adieu pour Zverkov, un quatrième camarade d'école qui doit partir en province. L'homme qui n'en peut plus d'être invisible annonce alors qu'il se joint à eux. Il les déteste tous, notamment ce Zverkov à cause de sa gaieté, de son insolence, de ses succès auprès des femmes, de son avancement rapide, mais il veut être et, pour être, il a besoin que son être soit confirmé. Étonnés, importunés même par cette soudaine demande, Simonov et les autres consentent finalement à lui donner rendez-vous le lendemain à 5 heures à l'hôtel de Paris. Il doit emprunter de l'argent à son domestique pour payer sa part. Cette requête est dégradante, mais il est trop excité par le contact qui vient de s'établir pour ne pas s'y résoudre. Il arrive donc à l'heure dite au restaurant et... il ne trouve personne. Le couvert n'est même pas mis dans le cabinet qui leur est réservé. Il ronge son frein jusqu'à l'arrivée tardive de Zverkov et de son escorte : ils ont oublié de lui signaler le changement d'horaire. Un fossé s'est créé que le reste de la soirée ne cessera d'approfondir. Chez eux, « il fait bruyant et gai », et lui, il se soûle dans son coin. Au moment des toasts, il leur signifie son mépris : « Monsieur le lieutenant Zverkov, sachez que je déteste les belles phrases, les phraseurs et les uniformes pincés à la taille [...]. Second point : je déteste les coureurs de cotillons. Troisième point : j'aime la vérité, la sincérité, l'honnêteté. » Après quelques minutes de colère collective, de brouhaha, le cercle des commensaux se reforme et se referme. L'homme du sous-sol est de nouveau exclu, ou plutôt ignoré, gommé, frappé de non-être. Il simule donc l'indifférence et cherche à leur prouver qu'il peut parfaitement se passer d'eux en déambulant de long en large et en martelant exprès le plancher de ses talons. Ainsi, plus il fait le fier et plus il fait la manche ; plus il signifie son désintérêt aux membres de la petite bande et plus il quémande leur attention. Sans succès : le boudeur n'obtient rien ; il n'est pas apaisé, il est puni par sa manigance. Et quand le cercle décide d'aller finir la nuit dans une maison de passe, il le suit, il mendie même, pour ce faire, quelques roubles à Simonov. L'homme souterrain n'a donc pas commis, dans sa jeunesse, des péchés ignominieux, il a perdu la face dans des affrontements minuscules. Et le moins qu'on puisse dire est que l'égoïsme rationnel n'a pas éclairé son action. Il s'est même appliqué à faire tout ce qui pouvait lui nuire. Entre les deux monarques sous la domination desquels, selon Bentham, la nature a placé l'homme – le plaisir et la peine –, il a résolument choisi le second. Il n'est pas l'homme du calcul, il est l'homme néfaste à lui-même, l'homme acharné à jouer contre son camp, l'homme qui ne veut ni d'une vie bonne ni d'une vie délivrée de la gêne et du mal de dents mais qui veut ce que veut l'amour-propre. Et, contrairement à ce que pensent les réalistes, l'amour-propre n'est pas l'un des noms de cette aspiration fondamentale et naturelle : l'amour de soi, l'intérêt, le désir d'améliorer sa condition ou, pour le dire dans le latin de la philosophie, le tout-puissant *conatus essendi*, c'est-à-dire l'effort que fait chaque être pour persévérer dans son être en mettant toutes ses pensées et toutes ses actions au service de cette fin. En l'occurrence, c'est Rousseau qui avait vu juste : « L'amour de soi qui ne regarde qu'à nous est content quand nos vrais besoins sont satisfaits ; mais l'amour-propre qui se compare, n'est jamais content et ne saurait l'être parce que ce sentiment, en nous préférant aux autres, exige aussi que les autres nous préfèrent à eux, ce qui est impossible. »

Jamais content : tel est l'homme du souterrain, ce paradoxal Narcisse condamné à la déception perpétuelle, au fiasco de ses rêves de grandeur et, plus radicalement encore, à n'avoir pas d'image dont il puisse dire avec une assurance tranquille : « Ça, c'est moi. » Il s'enfonce goulûment dans les plis et les profondeurs de son âme tourmentée, mais il revient toujours bredouille. La seule chose qu'il ait en propre, c'est l'amour-propre et l'amour-propre, c'est précisément la perte de toute propriété, l'hémorragie du moi, la soumission intégrale de l'être au regard et au jugement des autres : « Oh ! Si je n'avais été qu'un paresseux ! Comme je me serais respecté ! Je me serais respecté précisément parce que je me serais vu capable au moins de paresse, parce que j'aurais possédé alors au moins une qualité définie dont j'aurais été certain. Question : "Qui es-tu ?" Réponse : "Un paresseux !" Cela aurait été vraiment très agréable de s'entendre appeler ainsi. Tu es donc défini d'une façon positive ; il y a donc quelque chose à dire de ta personne... "un paresseux !" – c'est un titre, c'est une fonction, c'est une carrière, Messieurs ! »

L'homme du sous-sol ne pense qu'à lui. Mais lui, c'est qui ? Personne. Son moi n'a aucune consistance. Il a beau se tourner les pouces ou se croiser les bras, il n'a même pas le droit à cette dérision : une carrière de paresseux. Il aimerait pouvoir égrener ses différences, recenser ses traits

227

de caractère, confesser des vices ou des défauts en bonne et due forme. Il se voudrait l'heureux propriétaire d'un tempérament, et peu importe que celui-ci soit énergique ou lymphatique. Mais tous les adjectifs qu'il serait tenté de s'appliquer sonnent désespérément faux. Tous ses attributs sont des rôles. La comédie le ronge : il n'est rien de tangible ; il joue, pour un public imaginaire, à être ce qu'il est. Bien qu'il passe l'essentiel de son temps à ruminer, inactif, de vieilles histoires, il n'a pas de signes particuliers, ou plutôt sa particularité n'est faite que de signes adressés à des destinataires insaisissables. *L'obsession d'autrui lui tient lieu d'identité* : « Je suis si vaniteux que je me fais l'effet d'un homme dont on aurait arraché la peau et que le seul contact de l'air ferait souffrir. » Ce misanthrope peut bien se mettre à part puis prendre les grands moyens et s'emmurer définitivement : aucune paroi, pas même la mince cloison de l'épiderme ne le protège de ses semblables. Il s'isole, mais il est trop susceptible pour se retrouver seul avec lui-même. Jusque dans la fuite, jusque dans la retraite, jusque dans la plus hermétique claustration, il reste hanté et exposé. Il ne réussit jamais à établir le contact et – tel est son drame intime – jamais non plus il ne parvient à rompre la communication. Même quand il a trop mal aux dents pour pouvoir penser à autre

228

chose, il en veut aux bien portants et il y a toute l'intensité relationnelle de la haine dans les cris que lui arrache la souffrance. Bref, il n'a pas de quant-à-soi. Le monologue qui l'absorbe jour et nuit est un dialogue frénétique avec des « messieurs » absents. Il n'y peut rien : son for intérieur est squatté par ces fantômes ; une querelle assourdissante meuble le silence de son appartement sépulcral et ce que cet égocentrique sans ego oppose aux palais de cristal de la fusion des intérêts ou de la transparence des cœurs, c'est un théâtre où la même pièce tragi-comique se joue tous les jours à guichets fermés.

Mais ces pauvres déboires ne sont que l'avant-goût du souvenir qui l'oppresse, qui le réveille la nuit et qu'il met par écrit dans l'espoir vain d'être délivré de la honte. Une fois arrivé dans le lupanar où la petite bande a choisi de finir la soirée, il va droit à une jeune fille au regard sérieux et légèrement étonné. À l'issue de leur accouplement silencieux, une étrange relation se noue. Il lui demande son nom – elle s'appelle Lisa – et il évoque devant elle la déchéance inexorablement rapide qui l'attend si elle persiste dans la voie de la prostitution : « Au bout d'un an de cette existence, tu seras déjà tout autre ; tu seras flétrie [...]. Tu quitteras cette maison pour une autre, inférieure. Puis, après un an encore, tu passeras dans une troisième, de plus en plus bas, et au bout de six ou sept ans tu échoueras dans une chambre en sous-sol, à la place des Foins. Et c'est encore bien ; ce sera pis si tu tombes malade... une maladie de poitrine ou autre... si tu prends froid... Avec ce genre de vie, la maladie s'aggravera ; elle ne te lâchera plus. Et voilà, tu mourras. » Il évoque alors la modeste beauté du bonheur conjugal. Et comme elle lui dit : « Tu as l'air de lire dans un livre », il brise son âme et bouleverse son cœur par une description plus détaillée encore de son avilissement futur. Lisa éclate en sanglots. Enfin devenu, après tant de vicissitudes, de camouflets et d'outrages, héros de roman, il lui donne son adresse : « Viens me voir Lisa... » Et après qu'elle lui eut tendu la lettre d'amour très solennelle, très fleurie mais très respectueuse que lui avait écrite un étudiant, il s'en va. Quelques jours plus tard, Lisa se présente à son domicile. Et celui qui avait laissé entendre qu'il pourrait être son sauveur se transforme en scélérat : *video meliora proboque deteriora sequor.* Au lieu de jouer jusqu'au bout le rôle gratifiant et sentimental que lui dessinaient les paroles qu'il avait prononcées dans la maison de passe, il fait cet aveu féroce : « Sache donc que je me moquais de toi ce jour-là. Et je me moque encore aujourd'hui. Pourquoi trembles-tu ? Oui ! Je me suis moqué de toi. On m'avait insulté pendant le dîner, ceux-là mêmes qui sont arrivés chez vous avant moi. J'étais venu pour me venger de l'un d'eux, un officier ; mais je n'y réussis pas : ils étaient partis. Il fallait pourtant bien passer mon irritation sur quelqu'un ; tu survins à ce moment, et je me vengeai sur toi, je me ris de toi. On m'a humilié, et j'ai voulu donc humilier à mon tour ; on me traita comme une loque, je voulus donc expérimenter mon pouvoir... Voilà ce qui s'est passé ; tandis que tu t'es imaginé que j'étais apparu tout exprès pour te sauver. Oui ? C'est bien ça ? Tu te l'es imaginé. »

Pourquoi ce revirement ? Parce que Lisa l'a surpris sale et misérable dans sa vieille robe de chambre toute déchirée. De même, quelques jours plus tôt, en avait-il mortellement voulu à l'élégant Zverkov d'avoir repéré la tache jaune qui s'étalait sur son pantalon. Il n'y a pas de place pour la prose dans les fantasmes triomphants de l'homme du sous-sol. Mais, sous la forme anodine et mortifiante d'un détail qui cloche, la prose est là. Elle le nargue, elle lui fait honte. Et cette honte crie vengeance.

Lisa est anéantie par ce qu'elle vient d'entendre. Mais elle ne réagit pas comme le prévoit son rôle. Quelque chose d'extraordinaire se produit, un événement inouï a lieu : poussé par ce que Dostoïevski appelle dans *Crime et Châ-*

timents une « insatiable compassion », elle lui tend les bras en silence : la possibilité d'une autre histoire semble alors s'ouvrir. Mais, après une ardente étreinte, l'homme du sous-sol enterre cette possibilité en mettant quelques roubles dans la main de Lisa qui s'enfuit. Il retrouve le billet tout chiffonné sur la table après son départ.

Ce cœur captif de l'amour-propre fait bien pire que d'agir contre son intérêt, il suit à rebours le chemin de la délivrance, il refuse son salut *en connaissance de cause*. Il est, autrement dit, le bourreau de lui-même. Pourquoi ? Parce qu'il ne connaît l'Autre que sous les deux figures du Spectateur et de l'Adversaire. La hantise du ridicule et l'appétit de victoire se partagent son âme : tout en lui est subordonné à cette double obsession. Surgit, un jour, dans le temple des voluptés vénales, un visage dont la pudeur fait autorité, dont la douceur fait honte, dont le silence parle à l'impératif et notifie mystérieusement l'ordre de la secourir. La guerre est stoppée net mais il suffit d'un rien, d'une tache ou d'un vêtement éculé pour que la honte sociale recouvre la honte morale et réveille en sursaut l'agressivité. Si cette agressivité est miraculeusement pardonnée, la psyché souterraine, un instant prise de court, s'emploie très vite à neutraliser le miracle. Une femme inconnue a forcé la porte de la cellule, mais le prisonnier – c'est *plus fort qu'elle et que lui* – ne peut pas sortir : il continue à tourner en rond. D'abord éperdu de bonheur et de gratitude, il en veut, dans un deuxième mouvement, à celle dont il est l'obligé. Elle maîtrise la situation. Elle n'est plus désarmée, dépendante et suppliante mais magnanime. Humilié par ce renversement, il est irrésistiblement poussé à lui infliger, pour la peine, une humiliation définitive en la renvoyant sans un mot à sa condition infamante. Pour ne plus se sentir endetté, il oppose au *don* de sa présence la fin de non-recevoir de l'*échange* marchand. Le désastre est consommé : l'amour-propre s'est abattu sur l'amour, le ressentiment a subjugué le sentiment et colmaté la brèche ouverte par le visage de Lisa. Rien ne reste désormais de cette rencontre qu'un gâchis irrémédiable et que l'éternel regret de ce qui aurait pu être. « "Ce qui aurait pu être", les mots les plus tristes de la langue », écrit un contemporain de Dostoïevski, le philosophe William James.

À mi-parcours des *Carnets du sous-sol*, on est tenté de célébrer, jusque dans ses bouffonneries, la résistance de leur auteur supposé à la mise en équation de la condition humaine. Sans aller jusqu'à l'identification, on jubile de le voir répondre aux apôtres du monde nouveau qui publient la liste exhaustive des besoins humains et qui se font fort de les satisfaire que tout en nous ne répond pas au critère de l'utilité. Une fois le récit terminé, on aimerait pouvoir ranger ce personnage infréquentable dans la catégorie des monstres. Mais c'est peine perdue. L'habitant du sous-sol s'enracine à jamais dans la mémoire des lecteurs parce qu'il n'est ni simplement le héraut du combat contre l'impérialisme de la raison instrumentale ni un esprit détraqué. Sa disgrâce, c'est-à-dire son acharnement à répudier la grâce quand elle se présente à lui, a même quelque chose de vertigineusement normal. L'anti-héros de Dostoïevski est taillé dans l'étoffe des hommes ordinaires : ce n'est pas une pathologie perverse qui le conduit à l'abîme, c'est une disposition de l'âme dont nulle âme ne peut se dire indemne.

Dostoïevski a cru au palais de cristal. Il a milité pour son instauration. Il a lu avidemment Fourier, Proudhon, Saint-Simon, Owen et tous les utopistes. Et puis, il a compris que ces minutieux systèmes qui s'applaudissaient de leur pragmatisme et de leur hédonisme étaient, en fait, redoutablement simplificateurs. L'édifice scintillant de ses rêves juvéniles lui est alors apparu sous un tout autre jour : celui d'une gigantesque et grise maison de correction. Mais il n'a pas pris pour autant le parti du désir incorrigible. Il n'a pas glorifié la sauvage démesure de l'inconscient ; il a découvert que, à moins d'une déposition miraculeuse de l'amour-propre par l'amour, les hommes, même les plus affables, vivent dans un souterrain.

Bibliographie

Fédor DOSTOÏEVSKI, *Carnets du sous-sol*, traduit du russe par Boris de Schloezer, Gallimard, collection « Folio bilingue », 1995

Milan KUNDERA, *Le Rideau*, Gallimard, 2005

John KEATS, *Lamia*, cité in Georges Gusdorf, *Le Romantisme*, tome I, Éditions Payot et Rivages, 1993

Nikolaï TCHERNYCHEVSKI, *Que faire ?*, Éditions des Syrtes, 2000

Le Livre noir de la psychanalyse, sous la direction de Catherine Meyer, Éditions des Arènes, 2005

André BRETON, *L'Amour fou*, Gallimard, collection « Folio », 2008

Jean-Jacques ROUSSEAU, « Émile », in *Œuvres complètes*, tome IV, « Bibliothèque de la Pléiade », Gallimard, 1969

Ivan TOURGUÉNIEV, *Pères et Fils*, traduit du russe par Françoise Flamant, Gallimard, 1987

Nicolas BERDIAEV, *Les sources et le sens du communisme russe*, Gallimard, 1963

David LAPOUJADE, *Fictions du pragmatisme. William et Henry James*, Éditions de Minuit, 2008

La muflerie du vrai

Lecture de *Washington Square*, de Henry James

C'est le propre des grands romanciers que de créer des personnages qui ne leur ressemblent pas et qui défient même leurs convictions les plus chères. « On ne sait jamais le tout de rien », a écrit Henry James. Austin Sloper, dans *Washington Square*, soutient, avec des arguments très forts, la thèse exactement contraire.

À l'âge de vingt-sept ans, ce déjà remarquable médecin new-yorkais avait épousé par amour Catherine Harrington qui, en plus de ses charmes, lui avait apporté une très belle dot. Ce sourire de la fortune ne le détourna nullement de la tâche sérieuse qu'il s'était assignée : faire œuvre utile et apprendre des choses intéressantes. Car le Dr Sloper était américain : alors que l'Europe demeurait tiraillée entre les idéaux d'Ancien Régime et les valeurs libérales, égalitaires, prométhéennes de la démocratie, il appartenait par toutes les fibres de son être à un peuple où, selon l'expression de Tocqueville, le préjugé n'était pas contre le travail mais pour lui. Il s'efforçait donc de contribuer du mieux qu'il pouvait au grand projet moderne de maîtrise rationnelle du monde et d'émancipation des individus. Comme ses compatriotes, il n'avait pas lu Descartes mais il suivait ses préceptes sans être encombré d'aucun autre héritage; il les suivait même à la lettre en exerçant la profession la plus conforme à l'idée cartésienne que « la conservation de la santé est sans doute le premier bien et le fondement de tous les autres de cette vie ». Il était donc en première ligne pour mesurer à la fois les immenses progrès de l'ingéniosité humaine et ceux qui lui restaient à accomplir. Son premier-né, « un petit garçon riche des plus belles promesses », mourut à l'âge de trois ans sans que sa science pût rien pour le sauver. Et sa femme ne survécut pas à l'accouchement de leur deuxième enfant: une petite fille qu'il prénomma tout naturellement Catherine.

En 1850, quand commence l'action du roman, le Dr Sloper est dans la force de l'âge. Le deuil l'a rappelé deux fois, et avec quelle brutalité, à l'ordre de la finitude. Il est donc payé pour savoir qu'il ne sait pas tout. Mais il a vu vivre les hommes, il les a observés, il les a auscultés, il les a examinés dans le monde et dans son cabinet. L'expérience sociale et médicale ainsi accumulée fait qu'il sait tout de beaucoup de choses et qu'il n'est pas facile de l'abuser.

Homme consciencieux, Austin Sloper remplit ses devoirs paternels « avec un zèle exemplaire ». Il invite même à vivre chez lui sa sœur, Mrs Penniman, veuve elle-même d'« un clergyman pauvre, à la constitution souffreteuse et à l'éloquence ampoulée », pour que sa fille puisse bénéficier de la douceur d'une présence féminine. Mais il n'est pas dupe. Il ne se raconte pas d'histoires. Il ne ruse pas avec la vérité. Les défauts de son enfant qu'un autre père aurait cherché à se dissimuler lui apparaissent en pleine lumière. Il la voit *telle qu'elle est* : ordinaire, fade, placide, dépourvue de ce je-ne-sais-quoi qui l'avait ébloui chez sa mère et qu'on appelle le charme. Jeune fille, elle aggrave même les choses en arborant des toilettes chatoyantes comme pour suppléer à la vivacité qui la fuit. Avoir une fille « à la fois laide et trop pomponnée » : c'est difficile à supporter pour l'intelligent médecin qui cultive les apparences mais qui déteste l'ostentation. Il sait se tenir cependant et rien n'affleure de ce qu'il pense quand il s'adresse à sa fille, sinon la furtive ironie de son sourire.

Un jour, lors d'une réception. Catherine fait la connaissance d'un jeune homme beau et fringuant. Il parle avec aisance, les mots coulent, elle l'écoute, soulagée de n'avoir pas à faire la conversation, et contemple avec ravissement ses traits semblables à ceux des jeunes hommes sur les tableaux. Bref, elle tombe amoureuse, ce qui enchante aussitôt Mrs Penniman, et ce qui veut dire, dès le premier coup d'œil, pour le Dr Sloper qu'elle est *tombée dans le panneau*. Tout oppose, en effet, le père de Catherine et sa tante Lavinia. Elle est aussi exaltée et sentimentale qu'il est imperturbablement rationnel. Ils vivent certes l'un et l'autre sous un ciel dépeuplé : ni lui qui incarne la déposition du salut par la santé, ni elle qui a pourtant partagé la vie d'un pasteur dans la petite ville provinciale de Poughkeepsie ne s'en remettent aux Écritures pour élucider les énigmes de l'existence ou pour en affronter les vicissitudes. Dieu s'est retiré dans des lointains indiscernables. Mais dans le cœur et dans l'esprit de Mrs Penniman, c'est « la littérature facile » qui a pris la relève du Livre sacré, tandis que le méthodique Dr Sloper aime à voir clairement et distinctement l'objet dont il s'occupe. Il écarte donc tous les voiles traditionnels, religieux ou romanesques qui l'en séparent. Tandis qu'il étudie, en philosophe, le comportement de ses semblables, elle échafaude, en faiseuse d'intrigues, toutes sortes d'aventures et de scénarios passionnés pour échapper, ne fût-ce que par procuration, à la monotonie quotidienne. Elle veut un rôle, même subalterne, dans le spectacle du monde ; ce qu'il veut, lui, c'est en démonter le mécanisme. Et, pour ce faire, il ne se contente pas de se fier à son intuition. Il part, sans ménager sa peine, à la recherche des faits qui la corroborent. Il apprend que Morris Townsend, le soupirant très vite assidu de Catherine, a dissipé son héritage et qu'il vit maintenant chez sa sœur, Mrs Montgomery. Il rend donc visite à celle-ci qui, d'abord partagée entre la loyauté familiale et le devoir de vérité, reconnaît, sous le feu des questions, que Morris vit à ses crochets, qu'il n'est pas vraiment, comme il le prétend, le précepteur de ses enfants, mais que, par intermittence, il leur apprend l'espagnol (« Voilà qui doit vous soulager d'un grand poids », commente le Dr Sloper), et elle finit par dire, comme saisie par une solidarité soudaine avec cette jeune femme qu'elle n'a jamais vue : « Ne la laissez pas l'épouser ! »

Bien que conforté par ce témoignage poignant, le Dr Sloper se refuse à prendre une décision aussi radicale. L'interdiction n'est pas son genre. Le monde a changé et il n'a rien d'un *Pater familias*, ce père de droit divin qui imposait les règles de l'alliance sans jamais se laisser émouvoir par les exigences du sentiment. Il a fait lui-même, ne l'oublions pas, un mariage d'amour ; et puis surtout, si pouvoir il y a chez cet observateur sagace de la comédie humaine, il tient moins dans l'exercice abrupt de son autorité que dans la reddition des choses extérieures à son intelligence. La loi dont se réclame le Dr Sloper n'est pas transcendante et normative mais immanente et descriptive. Ce n'est pas le commandement qui tombe d'en haut, c'est, pour parler comme Montesquieu, le rapport nécessaire qui dérive de la nature des choses. En d'autres termes, il laisse libres les protagonistes de l'affaire pour mieux jouir de leur domestication par le théorème qu'il énonce. Quand Morris déclare sa flamme, il lui notifie, ainsi qu'à sa fille, qu'il ne leur laissera pas un penny et qu'elle aura pour seul héritage les dix mille dollars légués par sa mère. À l'époque ce n'est pas rien, c'est même une somme assez considérable, mais très en-deçà du magot qu'il avait amassé à force de travail. Puis le scrupuleux Dr Sloper emmène sa fille en Europe afin non pas certes de briser sa volonté – il ne mange pas de ce pain-là – mais de la voir renoncer – loin des yeux, loin du cœur – à son projet déraisonnable. Il échoue : distraite tout au long du périple, elle en revient plus déterminée que jamais à épouser celui qu'elle aime. Morris d'ailleurs ne l'a pas oubliée. Pendant l'absence du docteur et de sa fille, il a passé le plus clair de son temps dans la demeure de Washington Square à conspirer avec Mrs Penniman. Après l'échec de son voyage, le docteur choisit donc la tactique du *wait and see.* Il attend, il observe, il scrute, et il n'est pas déçu du résultat. Les faits se soumettent avec une docilité d'esclave aux calculs de la raison. L'hypothèse qu'il avait émise se vérifie dans ses moindres détails. Son induction est validée : Morris, qui avait amoureusement prétendu à la fille du Dr Sloper que la fortune de son père ne l'intéressait pas, prend la fuite. Il ne peut dire en face ce qu'il a sur et dans le cœur. Il l'écrit donc avec force circonlocutions, à l'abri du visage de celle qui avait cru en lui. Dans une longue épître à la fois embarrassée et bien tournée – outre sa prestance, le jeune homme avait du style –, il s'accuse de n'avoir croisé la route de Catherine que pour la joncher de ruines et il lui promet que « plus jamais il ne s'interposera entre son cœur, son brillant avenir et ses devoirs filiaux ».

Cette lettre, le Dr Sloper ne la voit pas mais, constatant l'évaporation de Morris Townsend, il pousse un soupir de soulagement et savoure un double triomphe. Le père a éloigné sa fille unique du coureur de dot oisif et paresseux qui allait faire son malhe ir ; le philosophe a prouvé une nouvelle fois qu'il maîtrisait la situation et que rien de ce qui est humain ne le prenait en défaut. D'un même sourire satisfait, il s'applaudit de sa clairvoyance et se réjouit que Catherine l'ait échappé belle.

End of the story ? Non. Les années passent. Catherine, plus silencieuse que jamais, refuse calmement et fermement les prétendants qui se présentent à elle. Un jour, le Dr Sloper, qui se sent vieillir et qui sait que Morris Townsend est de retour à New York, demande solennellement à sa fille de lui promettre qu'elle n'épousera pas, après sa disparition, l'homme intéressé qui avait autrefois tenté de la séduire. « Je ne peux pas vous faire cette promesse », répond doucement Catherine. Quelques mois plus tard, le Dr Sloper meurt comme il l'avait annoncé : de retour d'une visite auprès d'un malade, il est surpris par une averse printanière et il attrape un mauvais rhume. Et, toujours selon ses prévisions, les soins pourtant diligents de Catherine ne peuvent empêcher l'issue fatale : « Il ne s'était jamais trompé de sa vie et là encore il eut raison. » Une chose cependant échappe à celui qui peut s'enorgueillir d'avoir toujours su à temps et même à l'avance ce qu'il désirait savoir : il trépasse dans l'ignorance de la décision que prendra sa fille. Si au moins elle lui avait affirmé haut et fort qu'elle désobéirait à sa volonté, il serait mort les yeux ouverts. Mais elle lui a refusé cette ultime gratification intellectuelle. Elle lui a dit ni oui ni non. Son quant-à-soi a eu raison de la raison, c'est-à-dire du regard englobant de son père. Il l'a certes punie de ce sursaut d'opacité en ne lui léguant qu'un cinquième de ses biens, mais c'est une maigre consolation pour le docteur qui avait érigé la perspicacité en valeur suprême. Jamais donc il ne saura que sa fille intraitable agit exactement comme il l'avait souhaité.

L'été qui suit la mort du Dr Sloper, Morris Townsend, obéissant au conseil de la toujours active Mrs Penniman, sonne à la porte et fait son entrée dans la belle demeure de Washington Square. Il a vieilli, sa silhouette s'est empâtée, il n'a plus beaucoup de cheveux mais une large barbe soyeuse, et son visage est resté, malgré le poids du temps, remarquablement beau. Intimidé par sa propre audace, il balbutie d'abord puis il complimente Catherine – « Vous n'avez pas changé... Les années ont passé sans dommage pour vous » – et, comme celle-ci lui demande de ne pas revenir, il finit par s'exclamer : « Oh, ma

247

très chère dame, vous êtes injuste envers moi ! Nous n'avons fait qu'attendre. À présent, nous sommes libres. »

Pour Catherine, la liberté est un fait – elle est désormais seule et maîtresse de son destin – mais il n'y a pas de *nous* qui tienne. Elle n'a plus rien de commun avec ce rossignol fourbu qui, tout en continuant à roucouler, ne peut s'empêcher de lui prêter ses propres raisonnements intéressés et de dire haut et fort quand elle lui confie qu'elle n'a jamais eu envie de se marier : « C'est juste, vous êtes riche, vous êtes libre. Vous n'aviez rien à y gagner. » Catherine répète donc, en guise d'épitaphe, la phrase qui creuse entre eux un abîme irrémédiable. « Je n'avais rien à y gagner », dit-elle, et elle congédie sans autre forme de procès son soupirant ulcéré.

Pour comprendre le motif qui a poussé Catherine à ne pas faire à son père la promesse qu'elle s'était faite à elle-même au cas où Morris réapparaîtrait, il faut revenir à l'échange qu'ils ont eu à Liverpool, le dernier jour de leur long périple européen. À la veille de l'embarquement pour New York, le docteur veut savoir si sa fille est toujours résolue à épouser Morris Townsend. Tel étant le cas, il lui demande de ne pas filer sans préavis : « Quand un malheureux père est sur le point de perdre sa fille unique, il préfère être prévenu un peu à l'avance. » Et un autre cri du cœur suit cette exclamation : « Sais-tu qu'il me doit bien de la reconnaissance ? Je lui ai rendu un fier service en t'emmenant à l'étranger. Avec tout le savoir et le bon goût que tu as acquis, ta valeur a doublé. Voici un an, tu étais un peu limitée, un peu simplette ; à présent que tu as tant vu et tout apprécié, tu seras une compagne beaucoup plus divertissante. Nous avons engraissé son mouton avant qu'il ne le tue ! »

Ces mots, qui blessent Catherine comme des balles tirées à bout portant, l'éclairent aussi et constituent même pour elle une révélation foudroyante. Elle avait depuis longtemps remarqué le sourire ironique de son père quand il s'adressait à elle. Mais elle n'osait pas se vexer de ce traitement. Elle y voyait simplement la marque d'un esprit supérieur. Ainsi s'exprimait l'habitant des cimes. Ainsi parlait-on là-haut, sur les altitudes du savoir et de la raison. L'ironie, c'était la transcendance en action, le discours de l'infini, l'éclat d'un entendement hors d'atteinte, la griffe souriante du ciel sur le visage des élus de l'intelligence lorsqu'ils font au commun des mortels la grâce de leur conversation.

D'un coup, d'un seul, cette illusion métaphysique est pulvérisée. L'ironie *souveraine* et lumineuse du Dr Sloper divulgue brusquement son origine *souterraine*. Jetée bien malgré elle de la confiance dans le soupçon, Catherine n'écoute plus ses oracles avec un respect craintif, elle les déchiffre avec horreur. La voici acculée à comprendre que si son père a pu penser d'entrée de jeu que Morris Townsend ne la regardait pas elle, mais son héritage, ce n'est pas parce qu'il avait l'œil exercé et qu'il voulait la protéger contre les manigances d'un mercenaire, c'est tout simplement parce qu'il la jugeait *irregardable*. La vulgarité qu'il impute à celui qu'il désigne comme leur ennemi commun est d'abord la sienne. Quelque chose comme de la haine perce sous le masque du père attentionné et de l'observateur pénétrant. Ses métaphores *boursières* (« ta valeur a doublé ») et *animalières* (« nous avons engraissé son mouton avant qu'il ne le tue ») déchirent le voile d'objectivité et de sollicitude derrière lequel se dissimule son immense amertume. L'intelligence du Dr Sloper n'est pas fille du *désintéressement* mais de la *déception* et de l'esprit de vengeance. Il ne pense pas, comme il le prétend, *sine ira et studio*, la colère et le dépit dévorent son âme. Sa propre enfant se rend compte qu'il lui en veut de ne pas être à la hauteur, de ne pas répondre à ses attentes, de n'avoir jamais su *remplacer* son petit garçon merveilleux et sa femme resplendissante. Elle ne bouche

250

pas le trou qu'elle était censée remplir. Mais, manquant tout à la fois d'esprit et de grâce, elle rappelle par sa banalité les êtres exceptionnels qu'elle avait pour mission de faire oublier. Misérable ersatz, doublure pataude, elle joue *comme un pied* le rôle qui lui a été imparti. Les sarcasmes réifiants de son père lui font chèrement payer cette inaptitude.

Que le Dr Sloper ait raison et que Morris se montre, du début à la fin de l'histoire, conforme à ses prévisions, cela ne change rigoureusement rien à l'affaire. Le père et le séducteur, celui qui assène la vérité et celui qui la dissimule, ont un point commun terrible : ils n'aiment ni l'un ni l'autre la jeune femme qu'ils font profession de chérir. Et ils finissent par se trahir, tout comme Mrs Penniman qui, après avoir rêvé pour sa nièce d'un mariage secret, change peu à peu de camp, s'éprend maternellement de Morris et en vient à se convaincre qu'une Catherine dépouillée de son héritage serait un mauvais parti pour lui !

Trois fois bafouée, Catherine Sloper est condamnée au désenchantement. Mais elle condamne aussi son père au supplice de l'incertitude et ce *mais* fait toute la force du livre. Bien plus qu'une variation mélodramatique sur l'inusable conflit entre l'innocence et la noirceur, *Washington Square* est l'exploration *littéraire* du conflit entre deux attitudes qui reviennent *littéralement* au même, c'est-à-dire au renvoi d'un chevalier servant hypocrite et beau parleur.

Les amateurs éclairés d'Henry James et le Maître lui-même tiennent en piètre estime *Washington Square*. Ce roman court et sec déroge, en effet, à l'art jamesien de commenter à l'infini le moindre battement de cil, et de ne jamais conclure. Les livres de James, écrit Joseph Conrad, « se terminent comme se termine un épisode de la vie » et vous laissent « avec la sensation que la vie avance encore ». *Washington Square* produit la sensation inverse. Morris Townsend ayant été congédié une fois pour toutes, la vie n'avance plus, tout se fige dans le silence claustral d'une monotonie sans appel. « Au salon [...] Catherine avait ramassé son ouvrage ; elle s'était assise et avait repris sa broderie. Elle semblait installée là pour le restant de ses jours. » *Washington Square* est, sans doute, le seul roman de James où, à la fin de la dernière scène, le rideau se baisse. Le lecteur sort de l'histoire mélancolique et satisfait : nulle inquiétude, nulle interrogation, nulle impression d'inachèvement ne troublent son triste savoir. Mais il sait aussi, au sortir de cette lecture exhaustive, que le savoir n'est pas tout, ou plutôt qu'il y a savoir et savoir : celui, rancunier, du Dr Sloper et cet autre, dont Simone Weil a donné, dans *La Pesanteur et la Grâce*, la définition : « Un être aimé qui déçoit. Je lui ai écrit. Impossible qu'il ne me réponde pas ce que je me suis dit à moi-même en son nom. Les hommes nous doivent ce que nous nous imaginons qu'ils nous donneront. Leur remettre cette dette. Accepter qu'ils soient autres que les creatures de notre imagination, c'est imiter le renoncement de Dieu. Moi aussi, je suis autre que je m'imagine être. Le savoir, c'est le pardon. »

« On ne sait jamais le tout de rien », dit le grand Henry James à l'apogée de son art. Le James en apparence plus classique de *Washington Square* pose, sans avoir l'air d'y toucher, cette question vertigineuse : sait-on ce que c'est que le savoir quand on n'a pas renoncé à la possession et qu'on ne s'est pas engagé sur la voie du dessaisissement ? Et Catherine Sloper n'est pas l'héroïne trop intelligible d'un roman trop bien ficelé ou rien n'est laissé dans l'ombre : elle est, comme dit encore Simone Weil, « un être qui crie silencieusement pour être lu autrement ».

Être lue autrement : c'est aussi ce que réclame, outre-tombe, Bianca Salvi, cette comtesse italienne que le héros de *Retour à Florence* avait autrefois aimée et qu'il aurait sans doute prise pour femme s'il n'avait découvert à temps son double jeu et ses noires intrigues. Revenu sur les lieux de l'idylle avortée, après vingt-cinq années de carrière militaire « sous des climats brutaux », il fréquente la fille de la comtesse défunte et il la voit déployer la même coquetterie que sa mère à l'égard d'un jeune Anglais qui lui rappelle l'homme sensible qu'il fut. Il veut donc alerter ce soupirant naïf et le faire profiter de son expérience avant qu'il ne soit trop tard. Le jeune Anglais résiste et il finit même par commettre l'irréparable : il épouse l'ensorceleuse. Mais nulle catastrophe n'advient. Il ne tombe dans aucun traquenard. Il connaît, au contraire, le bonheur simple et rare d'un amour partagé.

Sous le choc de cette mauvaise bonne nouvelle, le vieux soldat célibataire se demande soudain s'il n'a pas été lui-même dupé par la méfiance, égaré par l'incrédulité, aveuglé par la cohérence impeccable de ses raisonnements. Il se félicitait d'avoir su garder la tête froide, il goûtait le réconfort aride de ne pas s'être laissé prendre au piège, il s'enchantait de son désenchantement précoce, l'orgueil de la lucidité le dédommageait d'une vie désertique et le voici contraint de réviser ou, en tout cas, de suspecter le jugement sans merci sur lequel reposait sa solitude. Le *happy end* imprévu de ce qui lui apparaissait comme la copie conforme de son histoire éclaire l'original d'un jour pathétiquement neuf. Une idée affreuse s'empare, pour ne plus le lâcher, de l'esprit du détrompé : l'idée qu'il s'est trompé sur toute la ligne et que c'est pour lui, peut-être, qu'il est trop tard : « Avais-je tort ? Était-ce une erreur ? Étais-je trop méfiant, trop soupçonneux, trop logique ? [...] Est-ce seulement sa faute à elle si je l'ai abandonnée ? Dieu sait combien les questions me harcèlent ; si j'ai gâché son bonheur, à coup sûr je n'ai pas fait le mien. Et j'aurais pu le faire... n'est-ce pas ? C'est une charmante découverte pour un homme de mon âge. » Avec *Retour à Florence*, Henry James a écrit l'extraordinaire roman des *désillusions perdues*.

On n'a pas besoin de la littérature pour apprendre à lire. On a besoin de la littérature pour soustraire le monde réel aux lectures sommaires, que celles-ci soient le fait du sentimentalisme facile ou de l'intelligence implacable. La littérature nous apprend à nous défier des théorèmes de l'entendement et à substituer au règne des antinomies celui de la nuance. Elle répudie le mélodrame et elle rappelle, pour le dire avec les mots pascaliens du philosophe Constantin Noïca, qu'« aucune réussite de l'esprit de géométrie ne saurait absoudre l'homme de ses responsabilités envers l'esprit de finesse ». Catherine a une autre tante, Mrs Almond, qui intervient à la marge du récit mais dont l'humanité et le jugement ne contrastent pas moins avec l'ébriété affective de Mrs Penniman qu'avec la causticité glaciale du Dr Sloper, comme en témoigne, au milieu du livre, et quand rien n'est encore joué, cette réflexion sur les destins possibles de Catherine et de Morris : « Je ne crois pas au délicieux mariage, je crois au bon mari. S'il l'épouse et qu'elle hérite de la fortune d'Austin, le ménage pourra tenir. Il sera paresseux, aimable, égoïste et, sans doute, un compagnon d'assez bonne composition. Mais si elle n'obtient pas l'argent qui se trouve lié à elle, que le ciel la prenne en pitié ! Car lui n'aura aucune pitié Il lui en voudra mortellement de cette déception et se vengera sur elle ; il sera impitoyable et cruel. » Il n'y a rien de poétique et d'exaltant, on en conviendra sans peine, dans cette alternative entre le médiocre et le pire. Mais ce compagnon d'assez bonne composition n'aurait-il pas été préférable, tout bien pesé, à la grande dévastation finale ? Ce qui nous est suggéré ici, en passant, c'est qu'on peut avoir tort d'avoir raison et que l'opposition du vrai et du faux n'est pas toujours pertinente car il est des moments dans l'existence où la vérité n'est pas un bienfait mais un cataclysme.

Washington Square est donc une antipastorale qui en remontre à la pastorale. Cette tragédie de la confiance, cette critique de l'illusion romanesque, cette plongée féroce dans la prose de la vie ne conduisent pas seulement à prendre acte des ravages du tout-puissant cynisme. L'histoire inoubliable de Catherine Sloper a pour première vertu d'embarquer le lecteur dans une méditation au long cours sur la science de la délicatesse et sur la clémence que requiert sa mise en œuvre.

Bibliographie

Henry JAMES, *Washington Square*, traduit de l'anglais par Claude Bonnafont, Liana Levi, 1993

—, *Retour à Florence*, traduction et préface de Jean Pavans, Éditions de la Différence, 1983

Alexis DE TOCQUEVILLE, *De la démocratie en Amérique*, Robert Laffont, collection « Bouquins », 1986

Joseph CONRAD, *Propos sur les lettres*, traduit de l'anglais par Michel Desforges, Actes Sud, 1989

Simone WEIL, *La Pesanteur et la Grâce*, Plon, 1988

Constantin NOÏCA, *Sur un ami lointain*, in *Cioran, Les Cahiers de l'Herne*, Éditions de l'Herne, 2009

Le scandale de l'art

Lecture du *Festin de Babette*, de Karen Blixen

Qu'est-ce que la civilisation ? Qu'est-ce que l'art ? Qu'est-ce que l'idéal ? Qu'est-ce que la grâce ? À ces hautes questions, Karen Blixen apporte une réponse narrative : *Le Festin de Babette*. Pour se confronter à l'essentiel, elle choisit non la théorie, mais l'anecdote. Plutôt que de procéder par concepts, elle raconte une histoire. Au lieu d'emprunter la voie spéculative de la philosophie ou celle – inductive et comparative – des sciences sociales, la recherche du sens et l'élucidation des expériences fondamentales prennent chez elle la forme enchanteresse du « il était une fois ». Ce n'est pas cependant en le transportant dans un univers fabuleux et en le comblant de sortilèges et de merveilles que cette

Schéhérazade des Temps modernes dépayse son lecteur pour mieux l'instruire sur sa condition, c'est en le plongeant dans un monde merveilleusement préservé, par sa simplicité même, de l'affairement général et de la psychologie courante : « Il y a en Norvège un long fjord étroit enserré par de hautes montagnes, le fjord de Berlevaag. Au pied des montagnes s'étend la ville de Berlevaag, qui a des airs de jouet, de miniature faite de petits cubes de bois peints en gris, en jaune, en blanc, en rose et en d'autres couleurs. »

Ce coin reculé et paisible de la Norvège luthérienne était connu dans le pays pour la secte pieuse qu'un pasteur y avait créée aux alentours de 1850. Les fidèles de cette congrégation « renonçaient aux plaisirs du monde, à la terre et à ce qu'elle offrait car ce n'était pour eux qu'illusions. La réalité qu'ils tenaient pour vraie, à laquelle ils aspiraient avec une nostalgie profonde s'appelait la Nouvelle Jérusalem. Ils ne proféraient pas en vain le nom du Seigneur, dans leur discours un oui était un oui, un non restait un non et lorsqu'ils s'adressaient l'un à l'autre, ils étaient frères et sœurs ». Le pasteur qui s'était marié tard avait eu deux filles baptisées Martina et Philippa, d'après Martin Luther et son ami Philippe Melanchthon. Le choix de ces prénoms obéissait à deux finalités contradictoires : estampiller la subjectivité de leurs bénéficiaires et, dans le même temps, les objectiver sans recours ; les individualiser et les marquer au fer d'une aliénation radicale ; les identifier comme personnes et leur assigner un rôle ; reconnaître leur féminité tout en les désexualisant ; prendre acte de leur naissance, c'est-à-dire de leur qualité de nouvelles venues sur la terre, et les vouer aussitôt à la répétition en les plaçant sous la tutelle écrasante d'un Grand Mort.

À peine elles-mêmes, les deux filles du pasteur se retrouvaient chacune flanquée d'un garde du corps et du cœur colossal et omniprésent. Martina et Philippa avaient intérêt à se tenir à carreau, c'est-à-dire à ne pas laisser leur existence défier ou transgresser les commandements de leurs sévères homonymes masculins. Elles n'étaient pas simplement *appelées* par leur nom mais *sommées* par lui de ne jamais faillir. Et elles se sont pliées avec une exemplaire docilité à l'injonction constituante. Orgueilleusement humbles, elles ont su, chacune à son tour, repousser les assauts du monde extérieur.

Un jeune officier du nom de Lorens Löwenhielm, qui s'était amusé et déraisonnablement endetté dans la ville de garnison où il résidait, avait été envoyé par son père, en guise de punition, passer trois longs mois chez une vieille tante près de Berlevaag, c'est-à-dire loin de tout.

Un jour qu'il se promenait à cheval dans la ville, il croisa Martina et il fut ébloui par cette apparition. Les contes, on le sait, ne font pas dans le détail : la beauté y est superlative et la passion, totale et immédiate. Le jeune officier se rendit donc dans la maison du pasteur. Il fut reçu. Il revint. Mais lui qui avait de la prestance, qui savait faire le joli cœur avec nombre de jolies filles, là, soudain, il se retrouvait à court d'inspiration. Sa faconde le fuyait, sa virtuosité se dérobait et le vide s'installait en lui alors même qu'il voulait éperdument séduire. Au lieu d'être enhardi par ses sentiments, il était accablé par son insignifiance. Le visage angélique de Martina l'intimidait et même lui faisait honte. Elle n'était pas seulement jolie, en effet, elle était sublime et elle était pure. Il se jugeait indigne de celle qu'il adorait. Assidu mais aphasique, amoureux mais transi, il finit par jeter le gant sans même avoir tenté sa chance et il ne retrouva l'usage de la parole dans la maison du pasteur que pour dire adieu à Martina : « J'ai appris que le destin est dur et impitoyable et que, dans ce monde, il y a des choses impossibles. »

L'année suivante, un nouvel étranger fit effraction dans la vie du pasteur et de ses filles. Il s'appelait Achille Papin. C'était un chanteur français célèbre même hors de ses frontières. Après deux séances de récital à l'opéra de Stockholm, il n'avait pas voulu rentrer chez lui sans voir « les cimes enneigées, les fleurs sauvages et les claires nuits d'été » du nord de la Norvège. Le spectacle le ravit, mais il se sentit écrasé aussi par sa beauté grandiose. Et ce qui sauva son émotion de la mélancolie, ce fut de l'entendre traduite dans la langue de la musique par la voix de Philippa qu'il découvrit un dimanche où, n'ayant rien de mieux à faire, il alla à l'église de Berlevaag.

Sous le choc, Achille Papin se rendit chez le pasteur. Sa carte de visite fut sans effet et son « papisme » aurait pu le condamner. Mais il était compatriote de Lefèvre d'Étaples, le grand érudit protestant que le père de Martina et de Philippa avait étudié dans sa jeunesse. Pour le plaisir de parler français, le pasteur entra donc en conversation avec le chanteur et celui-ci obtint même de prendre Philippa comme élève le temps de son séjour à Berlevaag. Au pasteur, il avait dit qu'elle chanterait encore mieux la gloire de Dieu à l'Église ; à sa fille, il promit, en secret, le triomphe sur la scène parisienne. Mais un jour que, étudiant Mozart avec son élève, il jouait Don Juan et qu'elle incarnait Zerline, il l'embrassa fougueusement. Aussitôt Philippe reprit possession de Philippa et la jeune fille à la voix d'or demanda d'écrire à M. Papin qu'elle ne souhaitait plus poursuivre les leçons de chant. M. Papin, anéanti, quitta Berlevaag par le premier bateau.

La troisième intrusion eut lieu seize ans plus tard, par une nuit pluvieuse de juin 1871. Une femme sonna à la porte de la maison que les deux sœurs habitaient désormais seules. Sans un mot, elle leur tendit une lettre signée d'Achille Papin. Avec une élégance délicieusement surannée, celui-ci se rappelait au souvenir des dames dont le souvenir demeurait comme « le saint des saints au fond de son cœur ». Il leur apprenait, en outre, que la personne qui se présentait chez elles s'appelait Babette Hersant, qu'elle avait participé à la guerre civile qui venait de faire rage en France, que son fils et son mari – tous deux coiffeurs – y avaient trouvé la mort et qu'elle-même avait dû fuir son pays pour échapper « aux mains sanglantes du général de Gallifet ». Il leur demandait d'accueillir avec miséricorde cette « noble communarde »; ce qu'elles firent sans hésiter. Une phrase, dans la lettre, pourtant les avait choquées et avait suscité leur inquiétude : « Babette sait faire la cuisine. » Pour les vieilles demoiselles de Berlevaag, cette expertise n'était pas un atout mais un handicap. Elles se méfiaient des habitudes alimentaires des Français, ces mangeurs de grenouilles, et puis surtout elles réprouvaient la cuisine comme telle. Il fallait manger bien sûr, mais il ne fallait, en aucun cas, *faire de nécessité délice*. Aussi Martina et Philippa entreprirent-elles sur-le-champ d'enseigner à Babette leurs principes d'économie et leurs recettes ancestrales : morue salée et soupe au pain noir et à la bière. Babette mit sans broncher et avec un succès stupéfiant son savoir-faire au service de ce régime insipide. Elle géra la rareté mieux que quiconque à Berlevaag.

Une nouvelle fois, la menace du monde extérieur était conjurée. Mais ne nous y trompons pas. Ce n'est pas l'extériorité que les deux sœurs jugeaient inacceptable, c'est le monde lui-même. Nulle xénophobie chez elles ou, comme on dit aujourd'hui, nul ethnocentrisme. Certes le fait de consommer des batraciens leur inspirait un sincère et profond dégoût, mais elles n'érigeaient pas, pour autant, leurs coutumes en critères d'humanité. Rien n'était plus étranger à leur âme charitable que de percevoir et de traiter les étrangers comme des barbares. Entre ce qui est bien et ce qui est sien, elles savaient faire la différence ; elles veillaient simplement à ce que l'amour des biens de ce monde n'en vienne pas à recouvrir et à remplacer l'amour du Bien. Apôtres de la frugalité et non championnes de l'identité, elles ne combattaient pas la différence, elles fustigeaient l'idolâtrie. La bonne chère affirmait la primauté du

265

matériel et le matériel, c'était le double mal de l'*être*, sous la forme de la pesanteur, et du *néant*, sous la forme de l'illusion. Quand le corps est repu, l'âme s'alourdit, s'épaissit, s'assoupit, perd la force de s'élever. Pire, elle en perd l'envie et même elle se trompe d'adresse. La consistance qu'elle donne aux apparences, le goût, la saveur qu'elle trouve aux nourritures terrestres l'amènent à prendre l'ici-bas pour la réalité et ses denrées pour un trésor. Elle ne sait plus, la pauvre, la fausse riche, que la vraie vie est ailleurs. Martina et Philippa se considéraient comme les gardiennes et les messagères de la vraie vie. Ce qui veut dire qu'en pourchassant sans relâche les plaisirs de la table et toutes les variétés de l'hédonisme leur ascétisme implacable ne ciblait pas la jouissance ou la volupté comme telles mais l'oubli de la Nouvelle Jérusalem, c'est-à-dire de la cité céleste et de ses joies.

Après quatorze années passées dans le respect scrupuleux de cette règle enthousiaste et monotone, Babette reçut à son tour une lettre affranchie avec un timbre français. Elle la lut, elle la relut et elle annonça aux deux sœurs, éperdues de curiosité, que le billet de loterie qu'elle avait pris autrefois en France et qu'une amie renouvelait, chaque année, pour elle, venait de gagner le gros lot de dix mille francs. Bien qu'il n'y eût aucune

266

place dans leur cœur pour la bassesse, les deux sœurs ne purent s'empêcher de recevoir comme un coup du sort cette faveur faite à Babette par un destin qui lui avait été longtemps si contraire. Elles avaient beau vouloir se réjouir avec elle de son enrichissement soudain, l'idée d'être bientôt privées de ses compétences les désolait. Affligées et résignées, elles espéraient seulement que leur servante ne les quitterait pas avant la date où devait être célébré le centième anniversaire de leur père bien-aimé. Mais Babette les surprit par une étrange requête. Sans rien laisser deviner de ses projets d'avenir, elle leur demande la permission de préparer, pour cet anniversaire, un banquet selon ses vœux. Et pas n'importe quel banquet : un dîner français. Ce dîner, qui plus est, elle voulait le payer avec son argent. Les deux sœurs évidemment se récrièrent. Mais, cette fois, Babette refusa de céder. Elle tint bon en se faisant à la fois rebelle et suppliante : « Ce soir, j'ai une prière à formuler, une prière qui vient du fond du cœur. Ne comprenez-vous pas, Mesdames, vous qui êtes si pieuses et si bonnes, qu'il vous appartient d'exaucer cette prière avec la même joie que le bon Dieu a exaucé les vôtres pendant quatorze ans. » Martina et Philippa n'étaient pas mieux disposées à l'égard du luxe et des plaisirs de la table que lors de l'arrivée de Babette à Berlevaag. La perspective de lui laisser carte blanche ne leur disait donc rien qui vaille. Mais ainsi placées dans la position de donatrices et non plus de destinataires, elles n'eurent pas la cruauté de la décevoir. Babette ne s'adressait pas à leur gourmandise mais à leur générosité. Or, elles aimaient offrir autant qu'elles détestaient recevoir. Elles auraient dit non à n'importe quel bienfait ; elles ne pouvaient refuser le cadeau qui était attendu d'elles.

Commencèrent alors d'intenses préparatifs. Babette remit à son neveu, le marin qui l'avait jadis amenée en Norvège, la liste des provisions dont elle avait besoin. Celles-ci arrivèrent par bateau quelques semaines plus tard. Une brouette les transporta, caisse après caisse. Dans l'un des transports, Martina, épouvantée, crut apercevoir une tortue. Convaincue dès lors de s'être compromise avec des forces maléfiques en accédant à la prière de Babette, elle fit promettre à chacun des membres de la congrégation de ne pas dire un seul mot sur la nourriture durant tout le repas. Ce serment tombait à point nommé. Il tenait lieu d'amour. Il redonnait un élan fraternel à une communauté vieillissante, minée par l'ennui, rongée par la discorde. Il ressoudait dans l'union sacrée contre Satan les fidèles fatigués les uns des autres et qui se regardaient en chiens de faïence ou ravivaient avec hargne de vieux griefs moisis.

Et ce fut enfin le grand soir. Tous les frères et les sœurs prirent place autour de la table, bien décidés à respecter leur engagement en tenant leur langue. La tante du lieutenant Löwenhielm qui avait maintenant plus de quatre-vingt-dix ans et qui avait, en outre, perdu le sens du goût et de l'odorat, participait également à la cérémonie car elle avait été une des premières disciples du pasteur. Elle était accompagnée par son neveu, devenu, au terme d'une brillante carrière, général et qui, le hasard faisant bien les choses, venait d'arriver en visite chez elle. Le repas commença et l'impensable alors se produisit : soupe à la tortue, blinis Demidoff, cailles en sarcophage, le tout arrosé d'un amontillado exceptionnel. Le général n'en croyait pas ses papilles. Au fin fond de la forêt et de la nuit norvégiennes, il s'attendait à tout sauf à ce festival de saveurs qui lui rappelait, avec une irrésistible et déconcertante précision, un dîner mémorable à Paris, au *Café anglais*. L'un des convives, le général de Galliffet, lui avait dit que le chef était une femme. Les membres de la secte du pasteur auraient pu éclairer la lanterne du comte mais ils étaient remontés comme des horloges : le nom de Babette Hersant ne franchit pas leurs lèvres.

269

Tout au long de la soirée, ils maintinrent, conformément à leur promesse, un silence total sur la qualité et même sur l'existence du festin. Les fidèles ne savaient pas ce qu'il y avait dans leur assiette et dans leur verre, mais ils connaissaient la responsable ; l'ancien soupirant de Martina savait reconnaître et nommer chacun de ces délices mais il ne comprenait pas par quel prodige ils avaient pu jaillir à Berlevaag Le même miracle agissait cependant sur celui qui en ignorait l'origine et ceux qui en ignoraient la teneur : les uns et les autres baignaient dans un climat, que rien n'annonçait, de gaieté et de douceur. Le comte Lorenz Löwenhielm se réconcilia avec le jeune homme idéaliste qu'il avait été et qui jugeait sans aménité sa réussite sociale. Parvenant à faire un discours à une table où, trente ans auparavant, son verre était rempli d'eau et aucun mot ne lui venait, il retrouva spontanément les mots du pasteur pour décrire son expérience : « Mes amis, la miséricorde et la vérité se sont rencontrées. La justice et l'allégresse se sont embrassées. » Quant aux fidèles, la glace qui enveloppait leur cœur fondit sans crier gare et ils retrouvèrent le plaisir perdu d'être ensemble.

Ainsi le mépris métaphysique de l'ici-bas en prenait pour son grade. L'esprit qui battait de l'aile dut son renouveau à un enchantement inattendu de la matière. La nature s'invita dans le cénacle de ceux qui avaient prononcé sa déchéance et elle leur rendit la grâce. Les sens des frères et des sœurs furent arrachés au sommeil. Et cet éveil leur ouvrit les portes de l'idéal. L'inférieur illumina le supérieur. On assista même à la fusion d'*eros* et d'*agapè* quand un patron pêcheur et une veuve « se donnèrent un long, un très long baiser, un baiser de jeunesse, un baiser de nuit d'été ».

Karen Blixen avait pour maxime : « Dieu aime la plaisanterie. » Si cette maxime dit vrai, Il a dû se régaler avec *Le Festin de Babette*, ce naufrage de l'ascèse dans l'extase qui devait en être le couronnement. Mais ce qui a dû plaire plus que tout au Grand Facétieux, c'est de voir le dualisme métaphysique lui-même desserrer son emprise. Karen Blixen ne se contente pas de réhabiliter le parent pauvre de l'antinomie fondatrice de l'âme et du corps. La sagesse du conte creuse plus profond. Elle complique l'opposition entre la vie physique ou biologique et la vie spirituelle en faisant surgir une autre dimension de l'expérience : la vie dans le monde, c'est-à-dire sur une terre humanisée par la multiplication des différences. Avant le festin, les fidèles mangeaient de la soupe ou du poisson et ils buvaient de l'eau ou, parfois, mais parcimonieusement, du vin. Qu'a fait Babette ? Elle les a entraînés *hors du partitif* et leur a offert un voyage inespéré dans le pays des nuances, des qualités et des innombrables saveurs. Elle n'était pas aux fourneaux pour assouvir les besoins alimentaires mais pour soustraire l'alimentation à l'emprise de la nécessité. Elle ne servait pas les exigences de la nature mais celles de la civilisation. « Le dessert, écrit magnifiquement Alberto Savinio dans son *Encyclopédie nouvelle*, nous fait oublier ce qu'avait d'indispensable, donc de sombre et de mortel, l'opération de manger : il nous réconcilie avec la vie dans ce qu'elle a de divin et fait rejaillir notre rire. C'est un châtiment des plus pesants que de laisser un enfant *sans dessert* : on le prive de la joie et du réconfort qui lui permet d'oublier ce qu'il a lui-même d'un petit animal. » Dans *Le Festin de Babette*, tout est dessert, tout est superbement inutile. L'ascétisme a été vaincu mais le matérialisme et le vitalisme aussi ont perdu sur toute la ligne. Une double rupture a eu lieu avec l'*indifférenciation* des besoins élémentaires et la *répétition* du mouvement cyclique – ingestion, digestion – du processus vital. Les plats ont été transformés en œuvres et le repas est devenu un événement inoubliable. *Nous avons l'art pour ne périr de l'identique.* Babette mérite donc sans conteste le titre qu'elle se décerne – « je suis une grande artiste » – au moment où elle confesse à ses deux patronnes que les dix mille francs du gros lot sont passés dans ce festin et qu'elle ne rentrera donc jamais en France.

Ne pas s'y méprendre donc. Cette dépense somptuaire n'est pas un sacrifice, mais un triomphe. Elle ne s'est pas dépouillée pour les deux sœurs de ce qu'elle possédait. Non, dit-elle, j'ai fait tout cela pour moi. Elle est une artiste, elle n'est pas une sainte. Martina et Philippa sont soulagées. L'abnégation de leur servante les eût écrasées ; son orgueil et sa gloire les libèrent. Trop charitables elles-mêmes pour pouvoir être les bénéficiaires de la charité, elles apprécient d'autant plus ce présent fastueux qu'il n'est pas oblatif et qu'il échappe à l'alternative de l'intérêt et du désintéressement. Du coup, elles rendent les armes.

Dans sa belle missive, Achille Papin avait une pensée particulière pour Philippa, sa belle Zerline perdue : « Au paradis, j'entendrai de nouveau votre voix, vous y chanterez sans crainte ni scrupule, comme Dieu a toujours voulu que vous chantiez. Vous y serez l'immense artiste que Dieu vous a destinée à être. Ah ! combien vous ravirez les anges. » Au moment de remercier

Babette, Philippa retrouve spontanément les mots du chanteur : « Mais ceci n'est pas la fin, Babette ! J'en suis certaine : ce n'est pas la fin. Au paradis, tu seras la grande artiste que le Seigneur a voulu que tu sois. Ah, ajouta-t-elle tandis qu'un courant de larmes coulait sur ses joues, combien tu raviras les anges ! » Avec ce cri du cœur, une véritable révolution a lieu : la Nouvelle Jérusalem se peuple de belles et bonnes choses. La Cité céleste accueille le meilleur du monde humain.

À Marthe qui se laisse absorber par les tâches domestiques, l'Évangile préfère, on s'en souvient, Marie attentive à la parole de Dieu. Dix-neuf siècles plus tard, dans un coin reculé de l'Europe chrétienne, voici que la fille d'un pasteur puritain, élevée dans la foi la plus austère, revient sur cette préférence. Elle nous dit que Dieu lui-même porte une attention émerveillée au génie de Marthe. Car il n'aime pas seulement la plaisanterie. Il aime la faculté humaine de faire des miracles. Il aime l'art.

Et si Babette ne rentre pas en France, c'est également parce que personne désormais ne l'attend. Les siens ont été tués pour avoir participé à la Commune de Paris, et ils sont morts aussi maintenant leurs assassins qui, tel le général de Gallifet, avaient été dispendieusement élevés et patiemment éduqués à comprendre quelle grande artiste elle était. La preuve par la Norvège venait d'être faite que cette compréhension était universalisable. Babette avait montré avec éclat que l'art a la double vertu de déployer les différences et d'attester l'unité du genre humain. Avec elle, le goût transcendait les frontières de la subjectivité, de la nation et même de l'appartenance culturelle. Mais, outre que les fidèles de Berlevaag ne pouvaient pas lui assurer les moyens d'accomplir sa vocation et de se surpasser sans cesse, ils ne dépendaient pas d'elle, ils ne lui appartenaient pas, comme lui appartenaient le duc de Morny, le duc Decazes, le prince Narischkine, le général de Gallifet, Aurélien Scholl, Paul Daru, la princesse Pauline et tous les seigneurs de Paris qu'elle était en mesure de rendre parfaitement heureux. En tant que communarde, Babette a lutté les armes à la main pour l'égalité. En tant qu'artiste, elle a illustré et défendu la distinction. La pétroleuse a incendié les hauts lieux du luxe et c'est dans un de ces hauts lieux que la cuisinière magnifique exerçait ses talents. Ces deux identités lui étaient aussi chères l'une que l'autre.

Karen Blixen, à la fin de ce conte, crédite l'art d'avoir rétabli l'harmonie. Mais elle souligne en même temps la dissonance, le différend voire la contradiction qui existent entre les règles et les idéaux respectifs de l'art et de la démocratie. Elle montre même, avec l'exemple de Babette, quelle intensité paroxystique cette contradiction peut atteindre. Voilà sans doute la part du récit la plus indigeste pour l'esprit de notre temps. Son seul Dieu, en effet, c'est la Démocratie. Ce dieu jaloux qui a dénoncé l'idéal ascétique et qui ne supporte pas qu'on plaisante avec ses valeurs, dit partout son amour de l'art mais ne se fait pas à l'idée d'une classe cultivée, il veut la peau des héritiers, bref il déteste tout ce dont l'art. si universelle que soit sa portée, a besoin pour vivre. Au nom de la défense des droits de l'homme, il prêche l'indis-crimination, il prononce l'équivalence des formes et il décrète que tous les goûts sont dans la culture. Mais c'est une autre histoire.

Bibliographie

Karen BLIXEN, « Le Festin de Babette », traduit du danois par Alain Gnaedig et Marthe Metzger in *Les Contes*, Gallimard, collection « Quarto », 2007

Alberto SAVINIO, *Encyclopédie nouvelle*, traduit de l'italien par Nino Frank, Gallimard, 1980

Hannah ARENDT, « Isak Dinesen, 1885-1963 », in *Vies politiques*, traduit de l'anglais par Barbara Cassin, Gallimard, 1974

La lutte avec l'ange

Je disais, en commençant, que, sans la littérature, la grâce d'un cœur intelligent nous serait à jamais inaccessible. Les œuvres dans lesquelles je me suis plongé m'ont fait découvrir que la littérature elle-même a toujours maille à partir avec la littérature. Sur le chemin de la vérité, la compréhension littéraire de l'existence rencontre et affronte inévitablement son double. La bataille de la représentation bat son plein : une lutte sans merci oppose le récit au récit, la fiction à la fiction, l'intrigue révélante aux scénarios embellissants et gratifiants dictés par le désir. Notre activité fantasmatique, en effet, ne connaît pas d'interruption. Notre for intérieur est un cinéma permanent. Nous ne cessons de consommer et de produire des histoires. Même fatigués, nous ne faisons pas relâche : tous les faits se monnayent en anecdotes, tout ce qui arrive se raconte. Et le principal obstacle qui se dresse entre nous et le monde voire entre nous et nous-même est d'ordre romanesque. Le voile jeté sur les choses a, de même que leur dévoilement, une texture narrative. Or, si l'on peut être légitimement inquiet, à l'âge des nouveaux supports, pour l'avenir du livre, il n'y a aucune raison de croire à l'éclipse prochaine de la fable.

Comme écrit Kundera : « L'histoire de l'art est périssable. Le babillage de l'art est éternel. » L'art : éclaircissement de l'être. Le babillage de l'art : éblouissante clarté de l'universel mélodrame et de son manichéisme moral.

Être homme, c'est confier la mise en forme de son destin à la littérature. Toute la question est de savoir laquelle.

Table

Le Nouveau Désordre amoureux, *en collaboration avec Pascal Bruckner, Le Seuil, 1977*

Au coin de la rue, l'aventure, *en collaboration avec Pascal Bruckner, Le Seuil, 1979*

Ralentir : mots-valises !, *Le Seuil, 1979*

Le Juif imaginaire, *Le Seuil, 1980*

Le Petit Fictionnaire illustré, *Le Seuil, 1981*

L'Avenir d'une négation. Réflexions sur la question du génocide, *Le Seuil, 1982*

La Réprobation d'Israël, *Denoël, 1983*

La Sagesse de l'amour, *Gallimard, 1984*

La Défaite de la pensée, *Gallimard, 1987*

La Mémoire vaine. Du crime contre l'humanité, *Gallimard, 1989*

Le Mécontemporain. Péguy, lecteur du monde moderne, *Gallimard, 1991*

Comment peut-on être croate ?, *Gallimard, 1992*

Le Crime d'être né. L'Europe, les nations, la guerre, *Arléa, 1994*

L'Humanité perdue. Essai sur le XXᵉ siècle, *Le Seuil, 1998*

L'Ingratitude. Conversation sur notre temps, *avec Antoine Robitaille, Gallimard, 1999*

Internet, l'inquiétante extase, *avec Paul Soriano, Mille et une nuits, 2000*

Une voix vient de l'autre rive, *Gallimard, 2001*

L'Imparfait du présent, *Gallimard, 2002*

Au nom de l'Autre. Réflexions sur l'antisémitisme qui vient, *Gallimard, 2003*

Les Battements du monde, *avec Peter Sloterdijk, Pauvert, 2003*

Nous autres, modernes, *Ellipses, 2005*

Le Livre et les livres. Entretiens sur la laïcité, *avec Benny Lévy, Verdier, 2006*

La Discorde, Israël-Palestine, les Juifs, la France, *avec Rony Brauman, Mille et une nuits, 2006*

Ce que peut la littérature *(dir.), Stock/Panama, 2006*

Qu'est-ce que la France ? *(dir.), Stock/Panama, 2007*

La Querelle de l'école *(dir.), Stock/Panama, 2008*

Pour l'éditeur, le principe est d'utiliser des papiers composés de fibres naturelles, renouvelables, recyclables et fabriquées à partir de bois issus de forêts qui adoptent un système d'aménagement durable.

En outre, l'éditeur attend de ses fournisseurs de papier qu'ils s'inscrivent dans une démarche de certification environnementale reconnue.

Ce volume a été composé
par I.G.S.-CP à L'Isle-d'Espagnac (Charente)

Cet ouvrage a été imprimé en France par
CPI Bussière
à Saint-Amand-Montrond (Cher)
pour le compte des Éditions Stock
31, rue de Fleurus, 75006 Paris
en septembre 2009

N° d'édition : 07. – N° d'impression : 092605/4.
Dépôt légal : septembre 2009.
54-07-6259/3